North West Wales

Aberdyfi	20	Llanbedrog	23
Abersoch	20	Llanberis	24
Amlwch	9	Llandegfan	30
Bala	21	Llanfairfechan	24
Bangor	5	Llanfair Pwllgywyngyll.	25
Barmouth	21	Llangefni	25
Beaumaris	22	Llanrug & Cwm-y-glo	26
Benllech	28	Llanystumdwy	30
Bethesda	10	Machynlleth	26
Betws-y-Coed	28	Menai Bridge	15
Blaenau Ffestiniog	11	Moelfre	30
Bontnewydd	29	Nefyn & Morfa Nefyn	17
Caernarfon	12	Penmaenmawr	27
Cemaes	29	Penrhyndeudraeth	27
Conwy	13	Penygroes	31
Corris	29	Porthmadog	16
Criccieth	22	Pwllheli	18
Deiniolen	29	Rhosneigr	31
Dolgellau	23	Talysarn	31
Dyffryn (Valley)	30	Trawsfynydd	31
Harlech	14	Tywyn	28
Holyhead	7	Y Felinheli	19

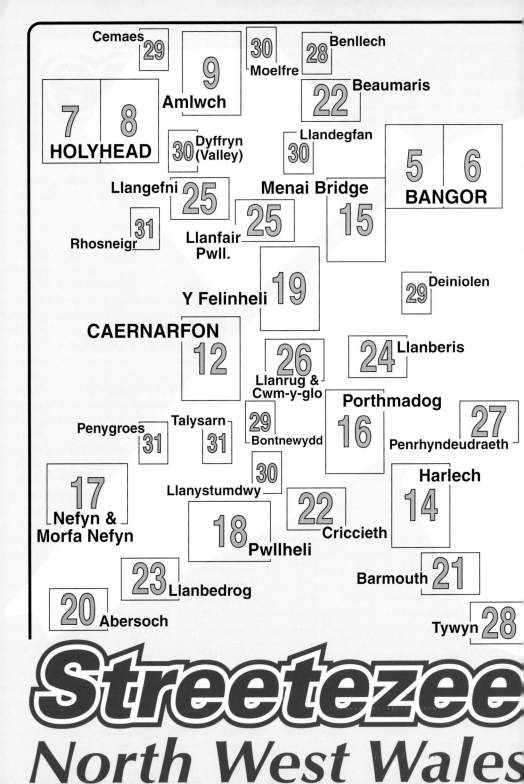

enmaenmawr

27

13

Conwy

24

Llanfairfechan

For street names in this
area consult
Streetezee
Llandudno

Bethesda

10

28 **Betws-y-Coed**

Blaenau Ffestiniog

11

Bala 21

31 **Trawsfynydd**

For street names in this
area consult
Streetezee
Mid Wales

23 **Dolgellau**

29 **Corris**

26 **Machynlleth**

20

Aberdyfi

For street names in this
area consult
Streetezee
West Wales

N

Not drawn to scale

Key to street plans

Street plans drawn at a scale of 4 inches to 1 mile

M4	Motorway *Traffordd*
A48	A road (Trunk road) *Ffordd A (Priffordd)*
B4281	B road *Ffordd B*
	Through road *Ffordd drwodd*
	Dual carriageway *Ffordd ddeuol*
	Track *Llwybr*
	Footpath *Llwybr troed*
	Railway *Rheilffordd*
	Built up area *Ardal adeiledig*
	Recreation ground *Maes chwarae*
	Woods and forest *Coedtir a choedwig*
	Health centre *Canolfan iechyd*
	Petrol station *Gorsaf betrol*
	Places of worship *Mannau addoliad*
	Police station *Gorsaf heddlu*
	Post Office *Swyddfa'r Post*
	Telephone *Ffon*
	Toilet facility *Cyfleustra toiled*
	Car parks (major) *(prif) Maes parcio*
	Caravan/camp site *Safloedd carafannau gwersyll*
	Information centre *Canolfan hysbysrwydd*
	Picnic site *Safle picnic*
	Golf course *Maes golff*
	Museum *Amgueddfa*
	Public house *Tafarndy*
	Theatre *Theatr*
	Youth Hostel *Hostel leuenctid*
	House numbers *Rhifau Tai*

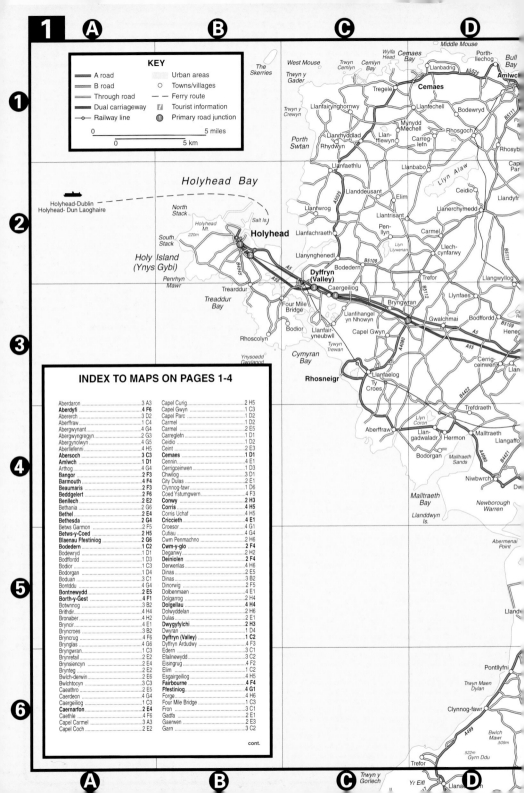

1

KEY

A road	Urban areas
B road	○ Towns/villages
Through road	– – Ferry route
Dual carriageway	🏛 Tourist information
Railway line	① Primary road junction

0 ——————— 5 miles
0 ——————— 5 km

Holyhead–Dublin
Holyhead–Dun Laoghaire

Holyhead Bay

The Skerries

West Mouse   Middle Mouse   Porthllechog   Bull Bay

Amlwch

Cemaes Bay   Cemaes

Wylfa Head   Cemlyn Bay   Llanbadrig   A5025

Trwyn Cemlyn   Tregele

Trwyn y Gader   Llanfairynghornwy   Llanfechell   Bodewryd   B5111

Mynydd Mechell

Trwyn y Crewyn   Llanrhyddlad   Llanfflewyn   Rhosgoch   Rhosybol

Rhydwyn   Carreglefn

Porth Swtan   Llanfaethlu   Llanbabo   Llyn Alaw   Capel Parc

North Stack   Llanddeusant   Elim   Ceidio   Llandyfrydog

Holyhead Mt. 220m   Salt Is.   Llanfwrog   Llanerchymedd

South Stack   **Holyhead**   Llanfachraeth   Llantrisant   Pen-llyn   Carmel   Llechcynfarwy   B5111

Holy Island (Ynys Gybi)   Llanynghenedl   Llyn Llywenan

Penrhyn Mawr   Trearddur   **Dyffryn (Valley)**   B5109   Bodedern   Trefor   Llangwyllog

Treaddur Bay   Four Mile Bridge   Caergeiliog   Llynfaes   B5112

Bodior   Llanfihangel yn Nhowyn   Bryngwran   Gwalchmai   Bodffordd   B5110

Rhoscolyn   Llanfair-yneubwll   Capel Gwyn   A5   A55   Heneg

Ynysoedd Gwylanod   Cymyran Bay   Tywyn Trewan   Cerrigceinwen   Llan

Rhosneigr   Llanfaelog   Ty Croes   Trefdraeth   B4422

Llyn Coron   Llangadwaladr   Hermon   Malltraeth   Llangaffo   A4080

Aberffraw   Bodorgan   Malltraeth Sands   B4421

Niwbwrch   Dw

Malltraeth Bay   Newborough Warren

Llanddwyn Is.

Abermenai Point

Lland

Pontllyfni

Trwyn Maen Dylan

Clynnog-fawr   A499

Bwlch Mawr 509m

522m Gyrn Ddu

Trefor

Trwyn y Gorlech   Yr Eifl   Llana

INDEX TO MAPS ON PAGES 1-4

Aberdaron	3 A3	Capel Curig	2 H5
Aberdyfi	**4 F6**	Capel Gwyn	1 C3
Abererch	3 D2	Capel Parc	1 D2
Aberffraw	1 C4	Carmel	1 D2
Abergwyngregyn	2 G3	Carmel	2 E5
Abergwynant	4 G4	Carreglefn	1 D1
Abergynolwyn	4 G5	Ceidio	1 D2
Aberllefenni	4 H5	Ceint	2 E3
Abersoch	**3 C3**	**Cemaes**	**1 D1**
Amlwch	**1 D1**	Cennin	4 E1
Arthog	4 G4	Cerrigceinwen	1 D3
Bangor	**2 F3**	Chwilog	3 D1
Barmouth	**4 F4**	City Dulas	2 E1
Beaumaris	**2 F3**	Clynnog-fawr	1 D6
Beddgelert	**2 F6**	Coed Ystumgwern	4 F3
Benllech	**2 E2**	**Conwy**	**2 H3**
Bethania	2 G6	**Corris**	**4 H5**
Bethel	**2 E4**	Corris Uchaf	4 H5
Bethesda	**2 G4**	**Criccieth**	**4 E1**
Betws Garmon	2 F5	Croesor	4 G1
Betws-y-Coed	**2 H5**	Cutiau	4 G4
Blaenau Ffestiniog	**2 G6**	Cwm Penmachno	2 H6
Bodedern	**1 C2**	**Cwm-y-glo**	**2 F4**
Bodwryd	1 D1	Deganwy	2 H2
Bodffordd	1 D3	**Deiniolen**	**2 F4**
Bodior	1 C3	Derwenlas	4 H6
Bodorgan	1 D4	Dinas	2 E5
Boduan	3 C1	Dinas	3 B2
Bontddu	4 G4	Dinorwig	2 F5
Bontnewydd	**2 E5**	Dolbenmaen	4 E1
Borth-y-Gest	**4 F1**	Dolgarrog	2 H4
Botwnnog	3 B2	**Dolgellau**	**4 H4**
Brithdir	4 H4	Dolwyddelan	2 H6
Bronaber	4 H2	Dulas	2 E1
Bryncir	4 E1	**Dwygyfylchi**	**2 H3**
Bryncroes	3 B2	Dwyran	1 D4
Bryncrug	4 F6	**Dyffryn (Valley)**	**1 C2**
Brynglas	4 G6	Dyffryn Ardudwy	4 F3
Bryngwran	1 C3	Edern	3 C1
Brynrefail	2 E2	Etalnewydd	3 C2
Brynsiencyn	2 E4	Eisingrug	4 F2
Brynteg	2 E2	Elim	1 C2
Bwlch-derwin	2 E6	Esgairgeiliog	4 H5
Bwlchtocyn	3 C3	**Fairbourne**	**4 F4**
Caeathro	2 E5	**Ffestiniog**	**4 G1**
Caerdeon	4 G4	Forge	4 H6
Caergeiliog	1 C3	Four Mile Bridge	1 C3
Caernarfon	**2 E4**	Fron	3 C1
Caethie	4 F6	Gadfa	2 E1
Capel Carmel	3 A3	Gaerwen	2 E3
Capel Coch	2 E2	Garn	3 C2

cont.

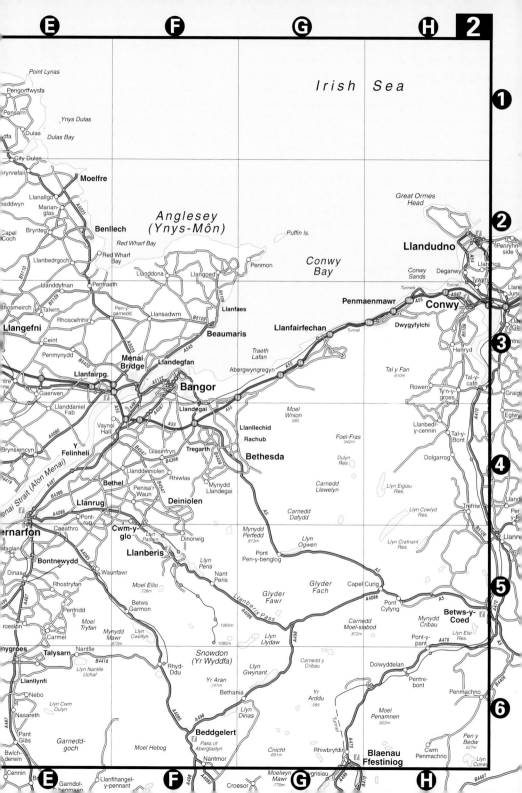

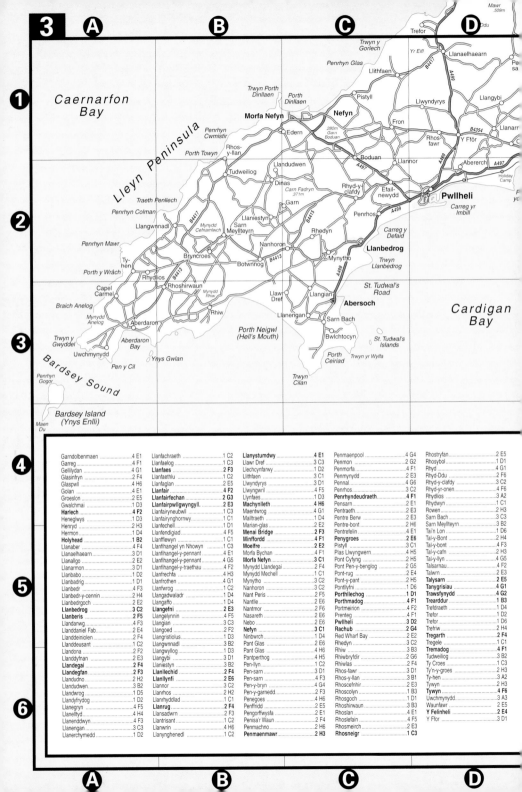

Garndolbenmaen	4 E1	Llanfachraeth	1 C2	Llanystumdwy	4 E1	
Garreg	4 F1	Llanfaelog	1 C3	Llawr Dref	3 C3	
Gellilydan	4 G1	**Llanfaes**	**2 F3**	Llechcynfarwy	1 D2	
Glasinfryn	2 F4	Llanfaethlu	1 C2	Llithfaen	3 D1	
Glaspwll	4 H6	Llanfaglan	2 E5	Llwyndyrys	3 D1	
Golan	4 E1	**Llanfair**	**4 F2**	Llwyngwril	4 F5	
Groeslon	2 E5	**Llanfairfechan**	**2 G3**	Llynfaes	1 D3	
Gwalchmai	1 D3	**Llanfairpwllgwyngyll**	**2 E3**	**Machynlleth**	**1 H6**	
Harlech	**4 F2**	Llanfairyneubwll	1 C3	Maentwrog	4 G1	
Heneglwys	1 D3	Llanfairynghornwy	1 C1	Malltraeth	1 D4	
Henryd	2 H3	Llanfechell	1 D1	Marian-glas	2 E2	
Hermon	1 H4	Llanfendigaid	4 F5	**Menai Bridge**	**2 F3**	
Holyhead	**1 B2**	Llanflewyn	1 C1	**Minffordd**	**4 F1**	
Llanaber	4 F4	Llanfihangel yn Nhowyn	1 C3	**Moelfre**	**2 E2**	
Llanaelhaearn	3 D1	Llanfihangel-y-pennant	4 E1	Morfa Bychan	4 F1	
Llanaligo	2 E2	Llanfihangel-y-pennant	4 G5	**Morfa Nefyn**	**3 C1**	
Llanarmon	3 D1	Llanfihangel-y-traethau	4 F2	Mynydd Llandegai	2 F4	
Llanbabo	1 D1	Llanfrechfa	4 H3	Mynydd Mechell	1 C1	
Llanbadrig	1 D1	Llanfrothen	4 G1	Mynytho	3 C2	
Llanbedr	4 F3	Llanfwrog	1 C2	Nanhoron	3 C2	
Llanbedr-y-cennin	2 H4	Llangadwaladr	1 D4	Nant Peris	2 F5	
Llanbedrgoch	2 E2	Llangaffo	1 D4	Nantlle	2 E6	
Llanbedrog	**3 C2**	**Llangefni**	**2 E3**	Nantmor	2 E6	
Llanberis	**2 F3**	Llangelynnin	4 F5	Nasareth	2 E6	
Llandanwg	4 F3	Llangian	3 C3	Nebo	2 E6	
Llanddaniel Fab	2 E4	Llangoed	2 F2	**Nefyn**	**3 C1**	
Llanddeiniolen	2 F3	Llangristiolus	1 D3	Ninbwrch	1 D4	
Llanddeusant	1 C2	Llangwnnadl	3 B2	Pant Glas	2 E6	
Llandona	2 E3	Llangwyllog	1 D3	Pant Glas	4 H6	
Llanddyfnan	2 E3	Llangybi	3 D1	Pantperthog	4 H5	
Llandegai	**2 F4**	Llaniestyn	3 B2	Pen-llyn	1 D3	
Llandegfan	**2 F3**	**Llanilechid**	**2 F4**	Pen-sarn	3 D1	
Llandudno	1 D5	**Llanllyfni**	**2 E6**	Pen-sarn	4 F3	
Llandudwen	3 B2	Llannor	3 C2	Pen-y-bryn	4 G4	
Llandwrog	1 D5	Llanrhos	2 H2	Pen-y-garnedd	2 F3	
Llandyfrydog	1 D2	Llanrhyddlad	1 C1	Penegoes	4 H6	
Llanegryn	4 F5	**Llanrug**	**2 F4**	Penffridd	2 E5	
Llanelltyd	4 H4	Llansadwrn	2 F3	Pengorffwysfa	2 E1	
Llanenddwyn	4 F3	Llantrisant	1 C2	Penisa'r Waun	2 F4	
Llanengan	3 C3	Llanwrin	4 H6	Penmachno	2 H6	
Llanerchymedd	1 D2	Llanynghenedl	1 C2	**Penmaenmawr**	**2 H3**	

Penmaenpool	4 G4	Rhostryfan	2 E5
Penmon	2 G2	Rhosybol	1 D1
Penmorfa	4 F1	Rhyd	4 G1
Penmynydd	2 E3	Rhyd-Ddu	2 F6
Pennal	4 G6	Rhyd-y-clafdy	3 C2
Penrhos	3 C2	Rhyd-yr-onen	4 F6
Penrhyndeudraeth	**4 F1**	Rhydlios	3 A2
Pensarn	2 E1	Rhydwyn	1 C1
Pentraeth	2 E3	Rowen	2 H3
Pentre Berw	2 E3	Sarn Bach	3 C3
Pentre-bont	2 H6	Sarn Meyllteyrn	3 B2
Pentrefelin	4 E1	Tai'n Lon	1 D6
Penygroes	**2 E6**	Tal-y-Bont	2 H4
Pistyll	3 C1	Tal-y-Bont	4 F3
Plas Llwyngwern	4 H5	Tal-y-cafn	2 H3
Pont Cyfyng	2 H5	Tal-y-llyn	4 G5
Pont Pen-y-benglog	2 G5	Talsarnau	4 F2
Pont-rug	2 E4	Talwrn	2 E3
Pont-y-pant	2 H5	**Talysarn**	**2 E5**
Pontllyfni	1 D6	**Tanygrisiau**	**4 G1**
Porthllechog	**1 D1**	**Trawsfynydd**	**4 G2**
Porthmadog	**4 F1**	**Trearddur**	**1 B3**
Portmeirion	4 F2	Trefdraeth	1 D4
Prenteg	4 F1	Trefor	1 D2
Pwllheli	**3 D2**	Trefor	1 D6
Rachub	**2 G4**	Trefriw	2 H4
Red Wharf Bay	2 E2	**Tregarth**	**2 F4**
Rhedyn	3 C2	Tregele	1 C1
Rhiw	3 B3	**Tremadog**	**4 F1**
Rhiwbryfdir	2 G6	Tudweiliog	3 B2
Rhiwlas	2 F4	Ty Croes	1 C3
Rhos-fawr	3 D1	Ty'n-y-groes	2 H3
Rhos-y-llan	3 B1	Ty-hen	3 A2
Rhoscefnhir	2 E3	Tywyn	2 H3
Rhoscolyn	1 B3	**Tywyn**	**4 F6**
Rhosgoch	1 D1	Uwchmynydd	3 A3
Rhoshirwaun	3 B3	Waunfawr	2 E5
Rhoslan	4 E1	**Y Felinheli**	**2 E4**
Rhoslefain	4 F5	Y Ffor	3 D1
Rhosmeirch	2 E3		
Rhosneigr	**1 C3**		

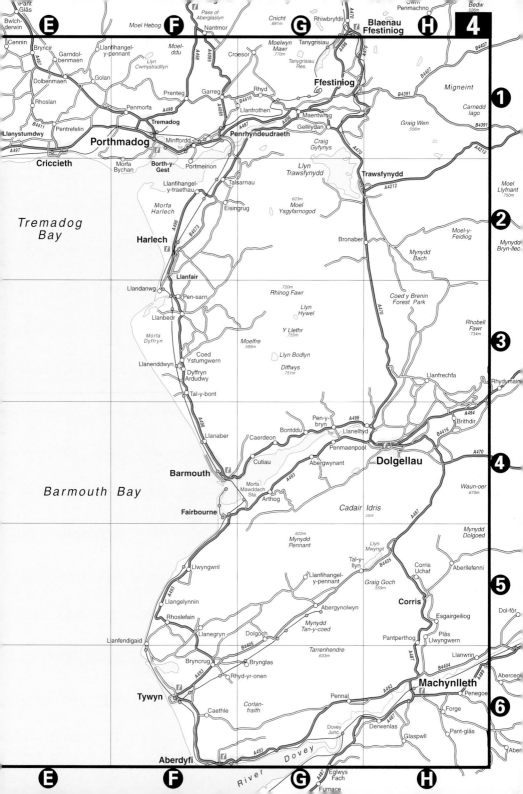

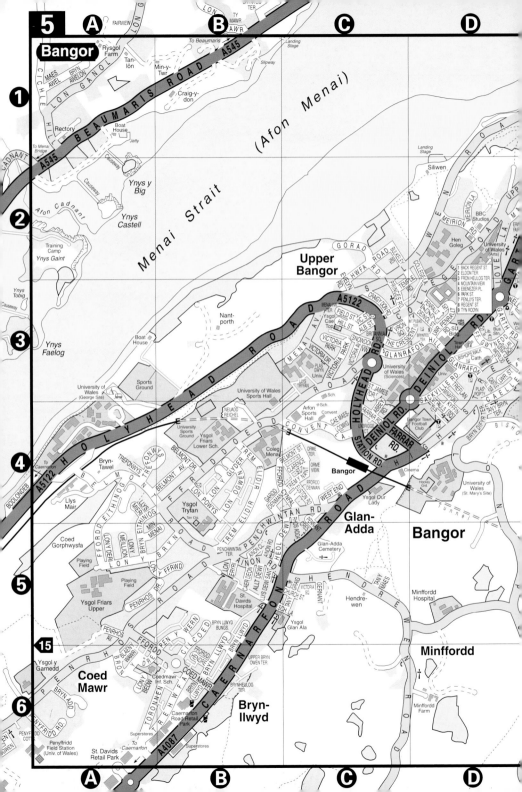

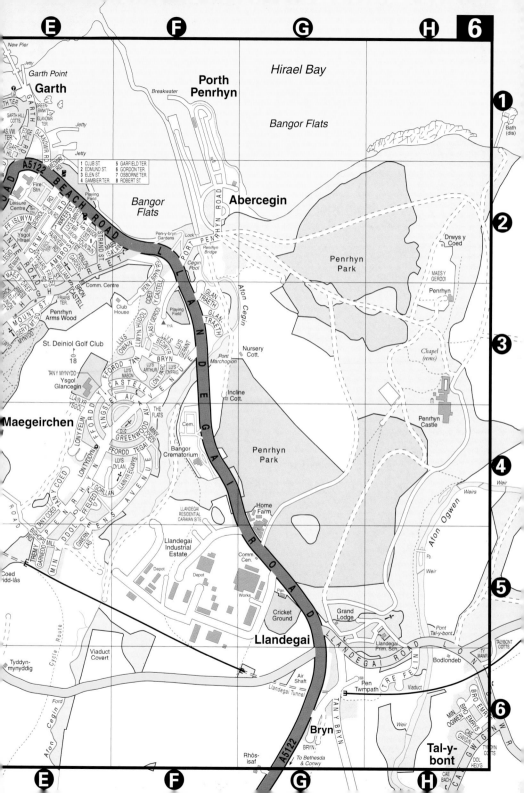

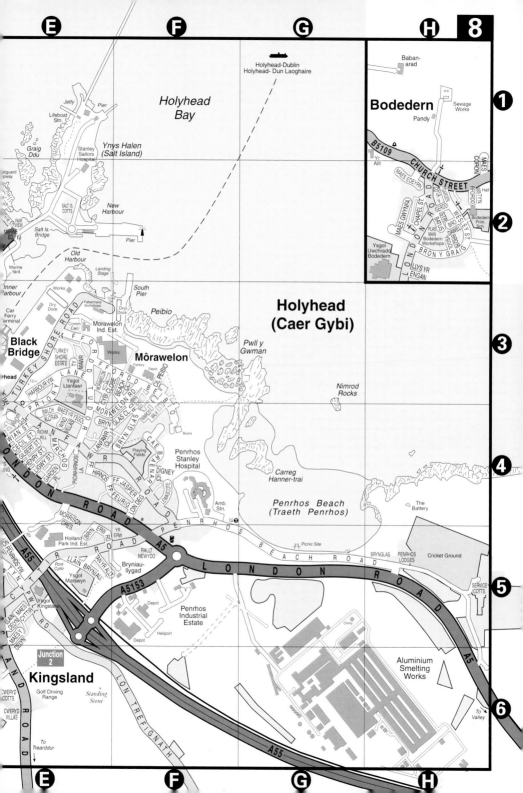

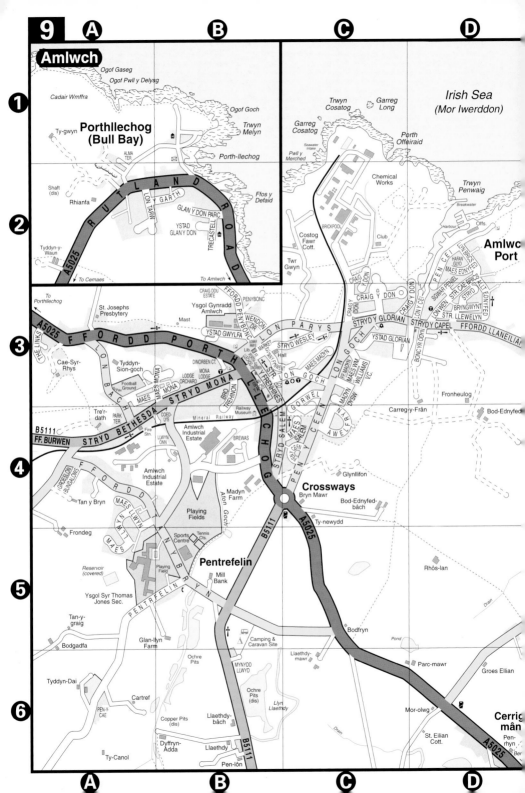

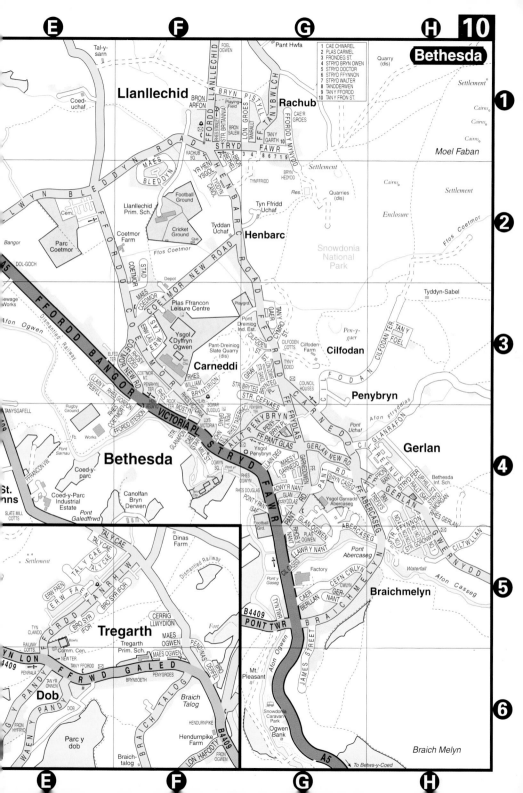

Tal-y-sarn

Coed-uchaf

Llanllechid

Rachub

Pant Hwfa

1	CAE CHWAREL
2	PLAS CARMEL
3	FRONDEG ST.
4	STRYD BRYN OWEN
5	STRYD DOCTOR
6	STRYD FFYNNON
7	STRYD WALTER
8	TANDDERWEN
9	TAN Y FFORDD
10	TAN Y FRON ST.

Quarry (dis)

Settlement

Cairns

Moel Faban

Cairns

Settlement

CAE'R GROES

BRON ARFON

FOEL OGWEN

PISTYLL TANYBWLCH

FFORDD LLANLLECHID

BRYN

LON GROES

FFORDD Y MYNYDD

RHES STANLEY

STR. BRITANNIA

BRON SALEM

YR HEN YSGOL

TANRALLT

TAN Y GARTH

STRYD FAWR

MAES BLEDDYN

YSGOL ISAF

HENBARC ROAD

TYNFFRIDD

Res.

Settlement

Cairns

CLWYN BLEDDYN

Bangor

DOL-GOCH

Cemdd

Llanllechid Prim. Sch.

Football Ground

Cricket Ground

Coetmor Farm

Tyddan Uchaf

Henbarc

Tyn Ffridd Uchaf

Quarries (dis)

Snowdonia National Park

Enclosure

Ffos Coetmor

Parc Coetmor

COETMOR NEW ROAD

FFORDD COETMOR

Tyddyn-Sabel

Sewage Works

A5

Depot

STAD MAES COETMOR

Afon Ogwen

Dismantled Railway

Plas Ffrancon Leisure Centre

Ysgol Dyffryn Ogwen

Pont Dreiniog Ind. Est.

Playgrd

TAN Y GAER

CILFODEN

FFORDD CARNEDDI

Pen-y-gaer

CILFODEN TER.

TAN Y FOEL

Tyddyn-Sabel

ELFED TER

PABSY

ERW LAS TER

ERW LAS

COETMOR NEW ROAD

LLWYN PEBYLL

Carneddi

Pant-Dreiniog Slate Quarry (dis)

Cilfoden Cotts.

Cilfoden Farm

Cilfodan

TYN Y COED

Council Houses

CILFODAN

Afon Ffrydlas

Penybryn

Tanygrafell

Rugby Ground

Fb.

Works

Pont Sarnau

FFRANCON VW.

Coed-y-parc

LLAINY ONNEN

RHES COETMOR

FFORDD STESION

STR. COETMOR

MT. PENRHYN TER.

ROCK TER.

HILL ST.

PEBYLL

VICTORIA PL

STRYD FAWR

RHES GORFON

CAE'R

STR. PENYBRYN

GRAIG

ALLT PENYBRYN

BRYNTIRION

BRYN TER

LLYS VICTORIA

RHES WILLIAM

RHES MOSTYN

SQUARE BUDDUG

Ysgol Penybryn

STR. TREMAEL

STR. BRYTEG

BRYN INTEG

STR. CEFNAES

Pont Uchaf

FF. FRYDLAS

GERLAN NEW RD

GLANRAFON

Gerlan

Bethesda

Coed-y-parc Industrial Estate

Pont Galeddffrwd

Canolfan Bryn Derwen

COWYN

RHES SQ

OWYN SQ.

TYN Y COED

LLAIN DEG

MAES GARNEDD

GARNEDD

FF. GARNEDD

MAESY

GERLAN

FF. ABERCASEG

FFRWD FAWR

RHES GERLAN

RHES DOUGLAS

GLAN OGWEN

PONT Y PANT

TYN Y PANT

RHOSY NANT

CAER BERLLAN

GLAN YR NANT

GARNEDD

Bethesda Inf. Sch.

Dinas Farm

GWERNYDD

CILTWLLAN

St. Anns

SLATE MILL COTTS

Settlement

Dismantled Railway

FF.

Ysgol Gynradd Abercaseg

Football Grd.

Pont Abercaseg

LLAWR Y NANT

Factory

Pont y Gaseg

Waterfall

Afon Casseg

Braichmelyn

TAL Y CAE

TAL Y CAE

TAL Y CAE

TANRHIW

FFORDD

ERW FAEN

ERW FACH

BRO SYR IFOR

CERRIG LLWYDION

MAES OGWEN

PENDWAS

DERFEL

BERFEL

CEFN CWLWN

CWLWN

CAER BERLLAN

GER NANT

Tregarth

Tregarth Prim. Sch.

MAES OGWEN

BRYNBOETH

PENYGROES

BRAICH MELYN

B4409

PONT TWR

JAMES STREET

Afon Ogwen

Mt. Pleasant

Snowdonia Caravan Park

Ogwen Bank

TYN CLAWDD

RAILWAY COTTS

NEW TER

COMM. CEN.

TAN YR ONNEN

PENRALLA

FFRWD GALED

TAN Y FFORDD

Dob

DOB

Fort

Braich Talog

LON HAFODTY

Hendurnpike

Hendurnpike Farm

Braichtalog

LON HAFODTY

B4409

Parc y dob

Parc y dob

Braich Melyn

To Betws-y-Coed

A5

WAEN Y PANDY

FRON HYFRYD

RIGY PANDY

B4409

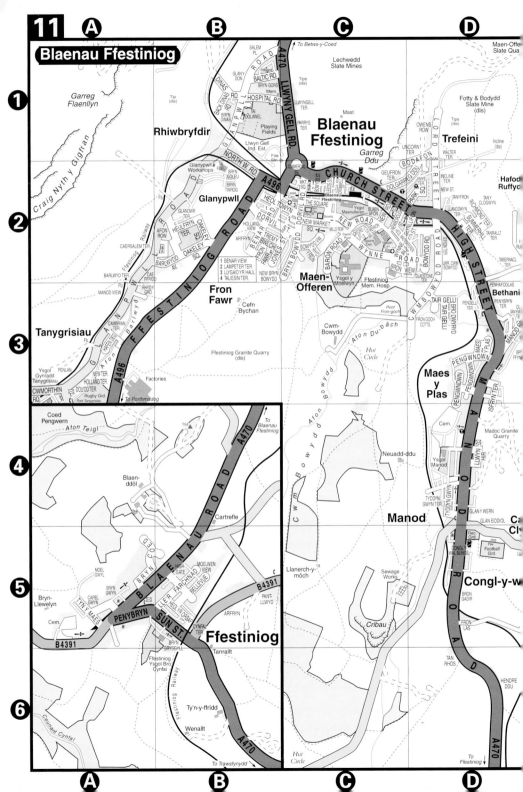

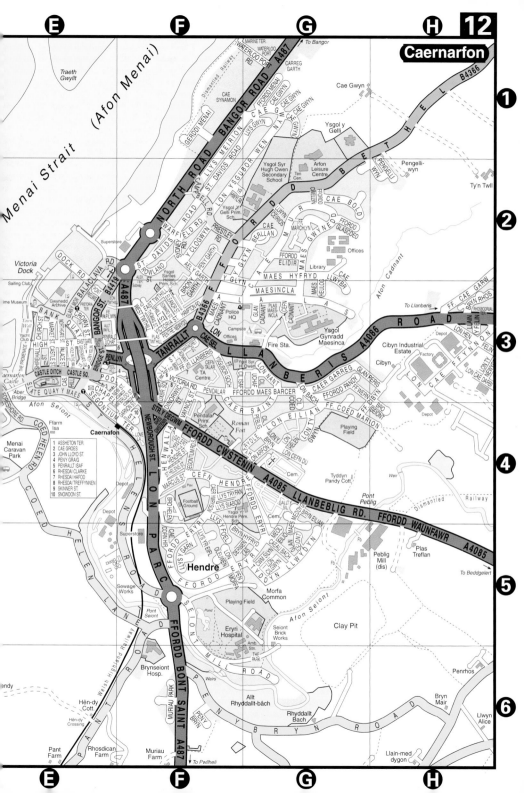

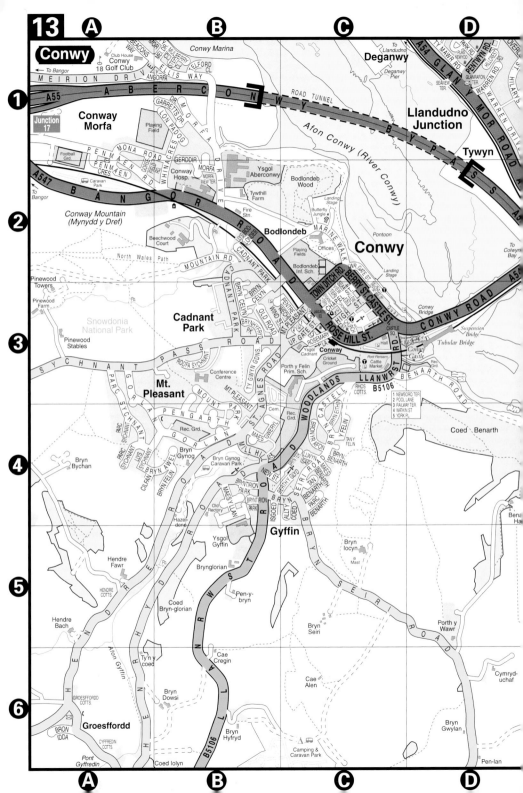

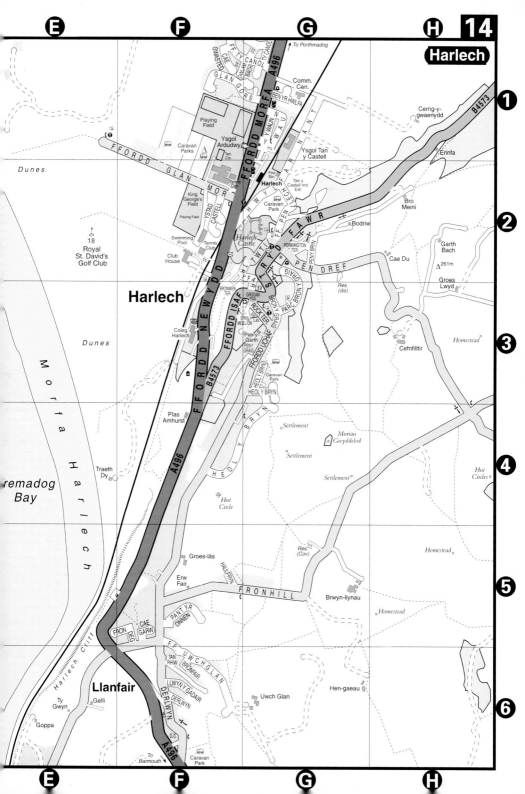

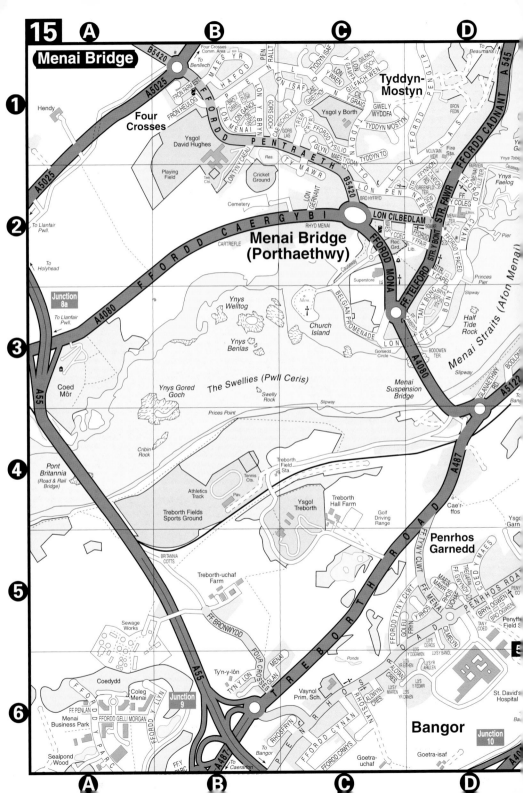

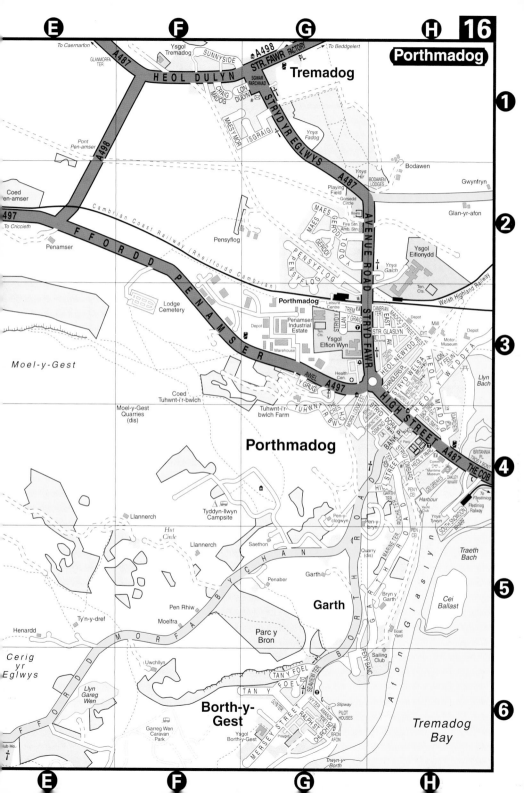

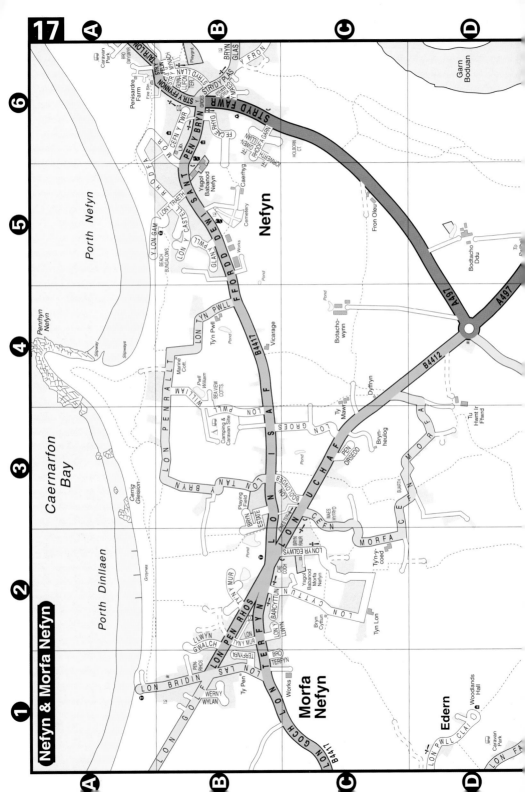

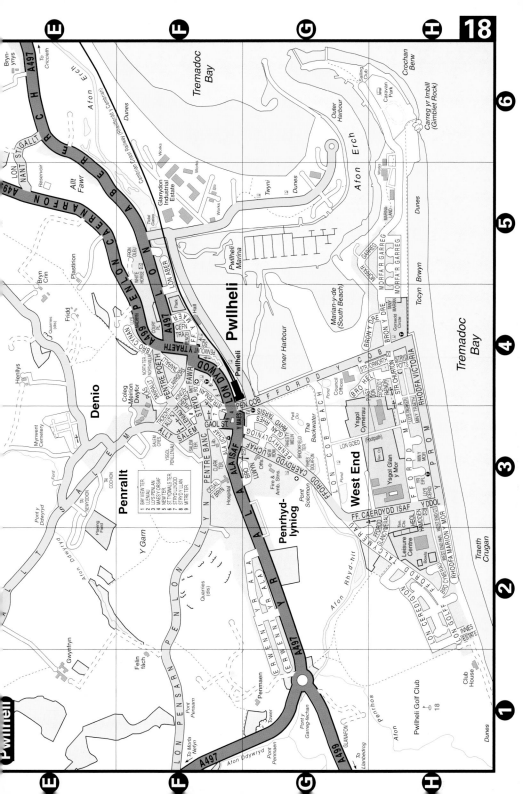

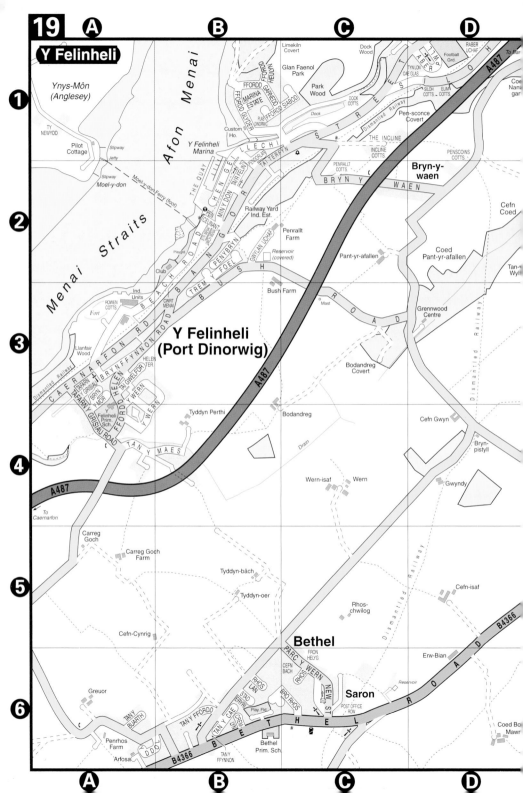

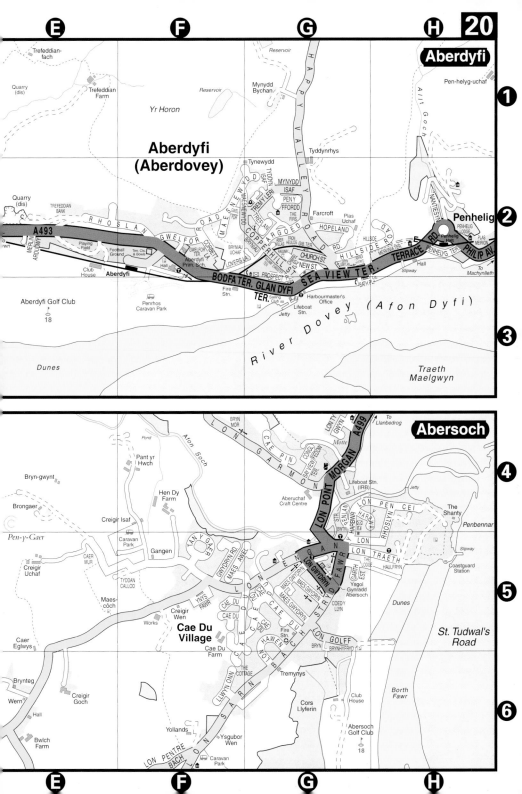

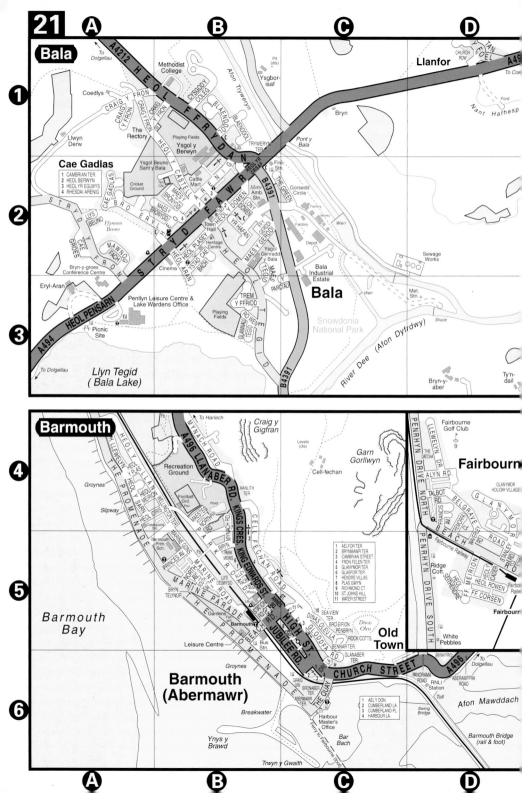

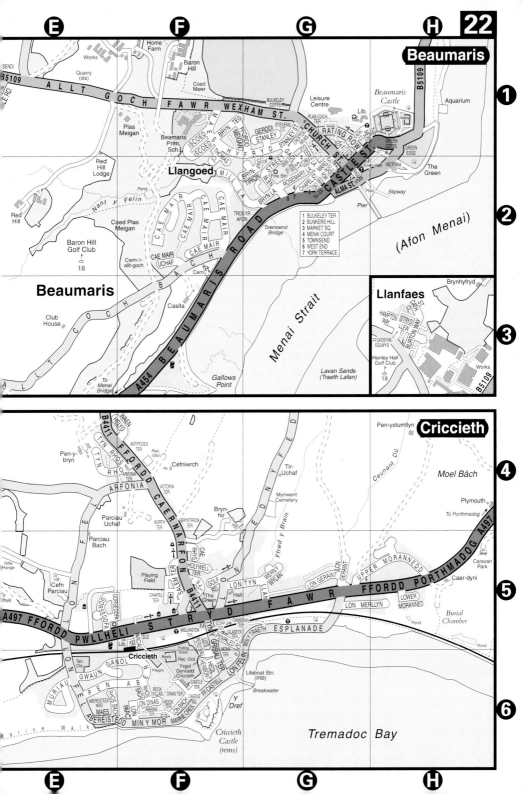

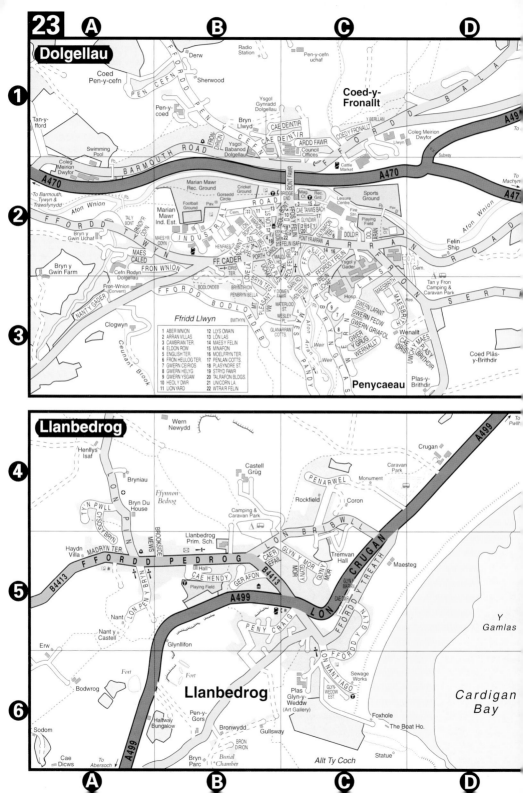

23

Dolgellau

Coed Pen-y-cefn
Radio Station
Pen-y-cefn uchaf
Derw
Sherwood
Pen-y-coed
Bryn Llwyd
Ysgol Gynradd Dolgellau
Coed-y-Fronallt
Y Berllan
Tan-y-fford
Coleg Meirion Dwyfor
Swimming Pool
CAE DEINTIR
ARDD FAWR
Ysgol Babanod Dolgellau
Council Offices
Coed-y-Fronallt
Pen y Llwyn
Coleg Meirion Dwyfor
Subway
To Machyn
A49
BARMOUTH ROAD
A470
BONT FAWR
Cattle Market
A470
Marian Mawr Rec. Ground
Gorsedd Circle
Cricket Ground
Leisure Centre
Sports Ground
Aton Wnion
Football Ground
Pav
BRIDGE END
Mag. Ct.
Rec. Grd.
Fire Stn.
Playing Field
Marian Mawr Ind. Est.
Cem.
CAE TANWS BACH
Lib.
DOLDIR
Felin Ship
Maes yr Odyn
HENFAES
FELIN GWNDA
GLYNDWR
ARRAN
Cem.
Bryn y Gwin Uchaf
TY'N Y ODYN
MAES CALED
FRON WNION
FF. CADER
PORTH
HEOL FELIG
FFORDD Y FELIN
Ysgol y Gader
Tan y Fron Camping & Caravan Park
Bryn y Gwin Farm
Cefn Rodyn
Dolgellau
Fron-Wnion (Convent)
NANT Y GADER
FFORDD BODLONDEB
IDRIS TER.
LÔN LA
BRYN TEG
Y DOMEN FAWR
Hosp.
GWERN LAFANT
GWERN FEDW
MAESBRITH
Clogwyn
BODLONDEB
BRYNTIRION
PENBRYN BELLA
PLEASANT
WATERLOO ST.
WESLEY
MAES
GWERN GRIAFOL
GWER Y GRUG
WERNALLT
Wenallt
Tan y Fron
IDRIS TER.
UNCHY MAES
PLAS Y BRITHDIR
Ceunant Brook
Ffridd Llwyn
BWTHYN
GLANARRAN COTTS.
Weir
Weir
ARIAN PANDY
Coed Plâs-y-Brithdir
Plas-y-Brithdir

1 ABER WNION
2 ARRAN VILLAS
3 CAMBRIAN TER.
4 ELDON ROW
5 ENGLISH TER.
6 FRON HEULOG TER.
7 GWERN CEIRIOS
8 GWERN HELYG
9 GWERN YSGAW
10 HEOL Y DWR
11 LION YARD
12 LLYS OWAIN
13 LÔN LAS
14 MAES Y FELIN
15 MINAFON
16 MOELFRYN TER.
17 PENLAN COTTS.
18 PLASYNDRE ST.
19 STRYD FAWR
20 TALRAFON BLDGS.
21 UNICORN LA.
22 WTRA'R FELIN

Penycaeau

Llanbedrog

To Pwllt
Wern Newydd
A499
Crugan
Henllys Isaf
Castell Grûg
Caravan Park
Monument
Bryniau
Ffynnon Bedrog
PENARWEL
Bryn Du House
Camping & Caravan Park
Rockfield
Coron
TYN PWLL
CYSGOY BRYN
Haydn Villa
MADRYN TER.
Llanbedrog Prim. Sch.
LON BRIBWLL
Tremvan Hall
Maesteg
B4413
FFORDD PEDROG
Hall
CAE HENDY
Playing Field
CAER EFAIL
GLYN Y MOR
GLYN MOR
GLYN MOR
CRUGAN
FFORDD Y TREATH
B4413
GERAFON
A499
LON
GLYN MABIAN
CAE EINIR
Nant
LON PEN
Y GAMLAS
Nant y Castell
PENY CRAIG
Erw
Glynllifon
FFORDD GLYN
Fort
FFORDD NANTIAGO
Sewage Works
Bodwrog
Fort
GLYN WEDDW EST.
Foxhole
Cardigan Bay
Sodom
Plas Glyn-y-Weddw (Art Gallery)
The Boat Ho.
Cae Dicws
Llanbedrog
Halfway Bungalow
Pen-y-Gors
Bronwydd
Gullsway
Statue
To Abersoch
Bryn Parc
BRON DIRION
Burial Chamber
Allt Ty Coch
A499

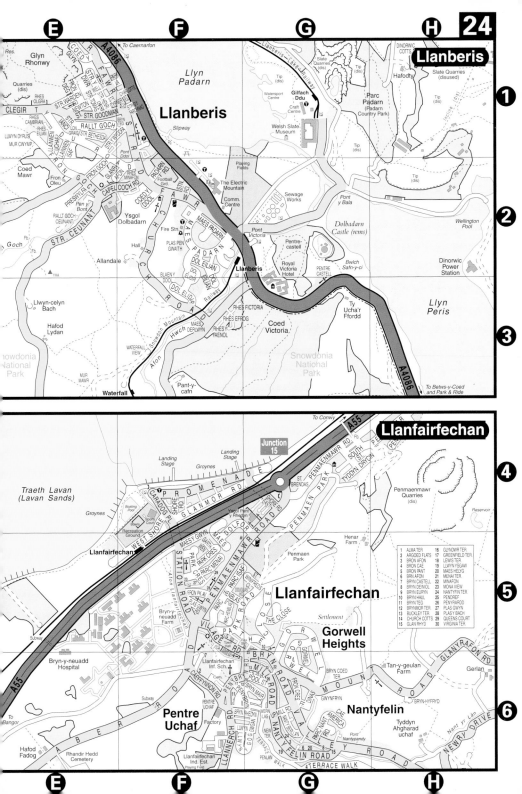

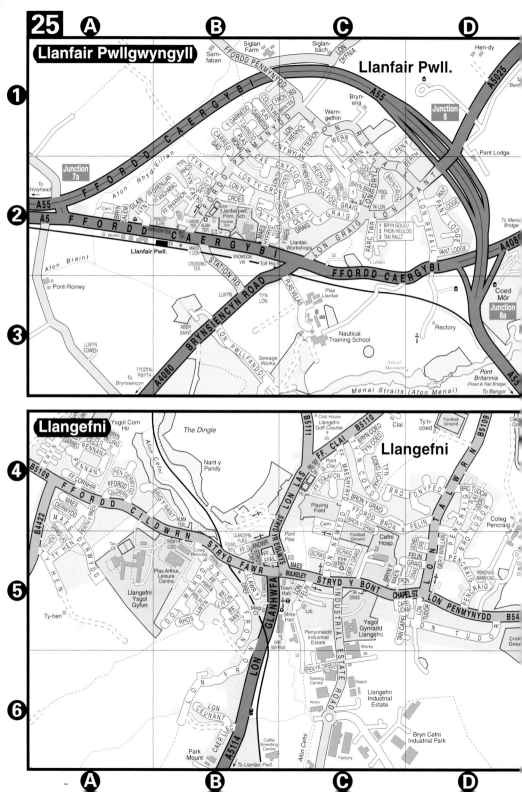

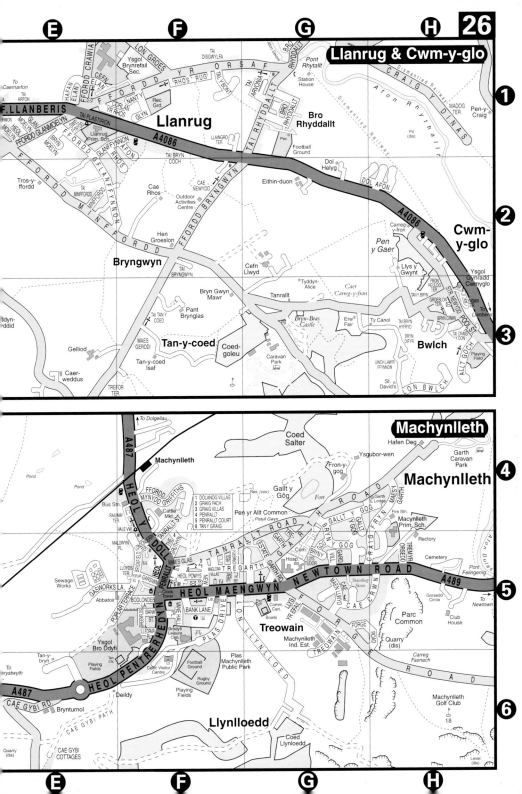

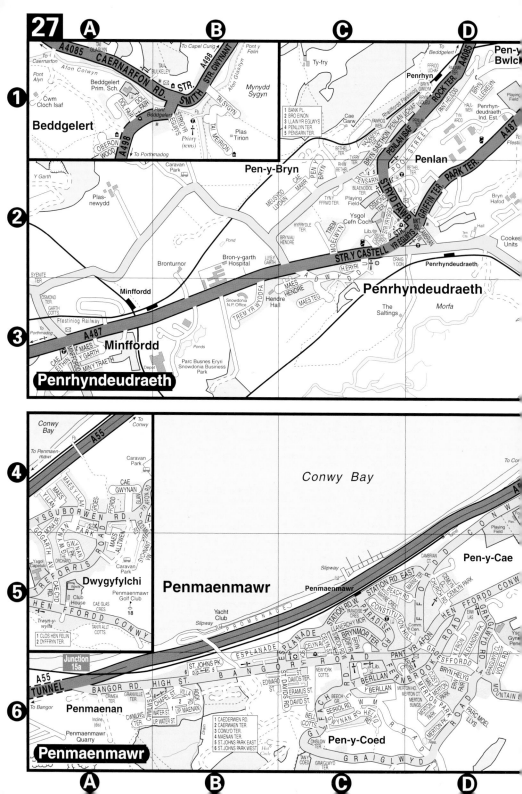

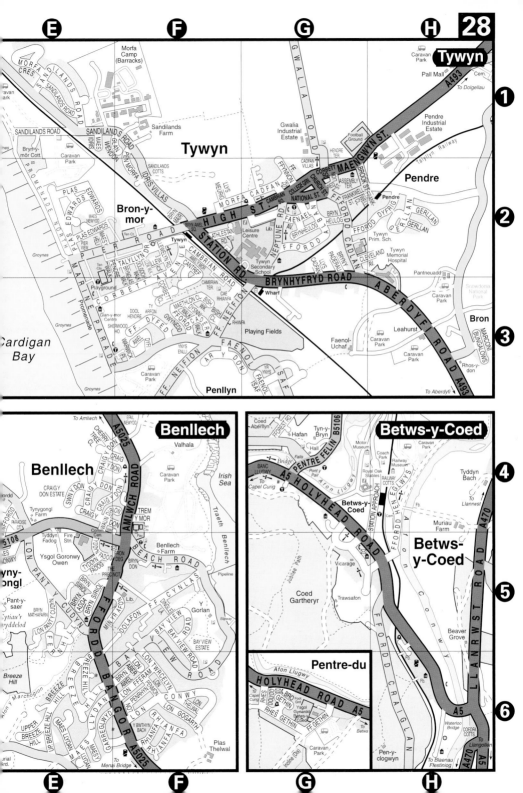

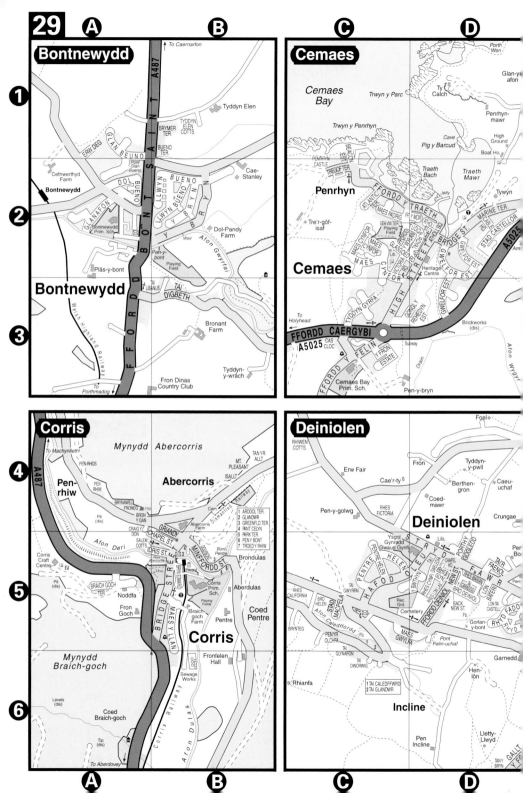

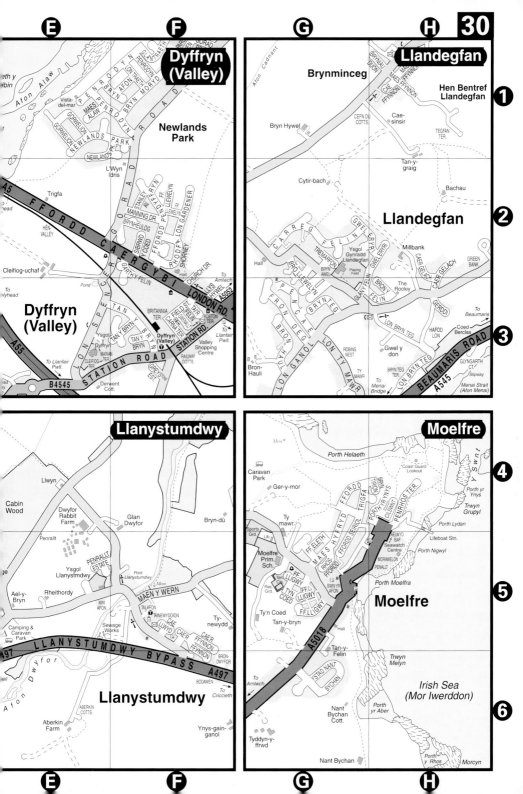

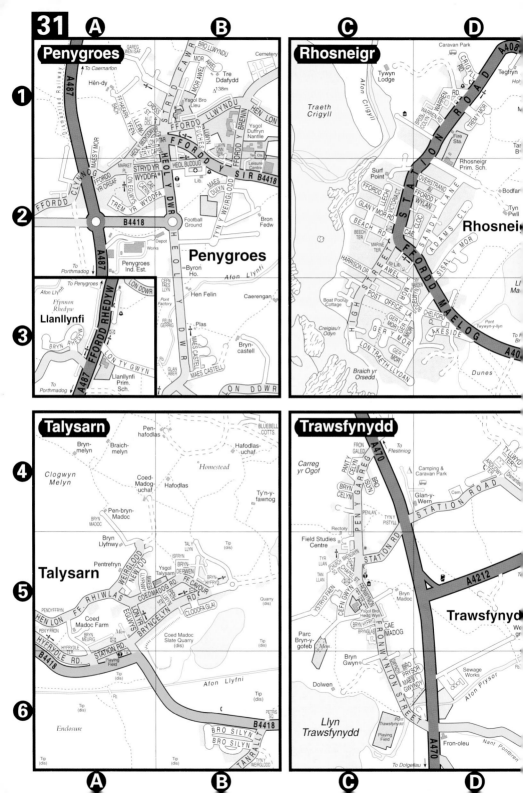

INDEX : Abbreviations used

Amb.	Ambulance	Comm.	Community	Flts.	Flats	Jun.	Junior	Orch(s).	Orchard(s)	Sq.	Square
App.	Approach	Comp.	Comprehensive	Fb.	Footbridge	La.	Lane	Par.	Parade	Stn.	Station
Arc.	Arcade	Crn.	Corner	Gdns.	Gardens	Lib.	Library	Pk.	Park	St.	Street
Av.	Avenue	Cott(s).	Cottage(s)	Gt.	Great	Lit.	Little	Pass.	Passage	Ten.	Tennis
Br.	Bridge	Cres.	Crescent	Grn.	Green	Lwr.	Lower	Pav.	Pavilion	Ter.	Terrace
Bldgs.	Buildings	Cft.	Croft	Grd.	Ground	Mkt.	Market	Pl.	Place	Up.	Upper
Bung(s).	Bungalow(s)	Ct.	Court	Gr.	Grove	Mag.	Magistrates	Prim.	Primary	Vic.	Vicarage
Bus.	Business	Dis.	Disused	Hd.	Head	Mdw(s).	Meadow(s)	Rec.	Recreation	Vw.	View
Cara.	Caravan	Dr.	Drive	Hosp.	Hospital	Mem.	Memorial	Res.	Reservoir	Vlls.	Villas
Cem.	Cemetery	E.	East	Ho.	House	Mon.	Monument	Resid.	Residential	Wk.	Walk
Cen.	Centre	Ent.	Enterprise	Ind.	Industrial	Mt.	Mount	Rd.	Road	Wy.	Way
Cl.	Close	Est.	Estate	Inf.	Infant	N.	North	Sch.	School	W.	West
Coll.	College	Fld(s).	Field(s)	Junc.	Junction	Off(s).	Office(s)	S.	South	Yd.	Yard

MYNEGAI: Byrfoddau a ddefnyddir

Amb.	Ambiwlans	Comm.	Cymuned	Flts.	Fflatiau	Jun.	Iau	Orch(s).	Perllan(-nau)	Sq.	Sgwar
App.	Dynesiad	Comp.	Cyfun	Fb.	Pont i gerddwyr	La.	Lon	Par.	Rhodfa	Stn.	Gorsaf
Arc.	Arced	Crn.	Congl	Gdns.	Gerddi	Lib.	Llyfrgell	Pk.	Parc	St./Str.	Stryd
Av.	Rhodfa	Cott(s).	Bwthyn(bythynnod)	Gt.	Mawr	Lit.	Bach	Pass.	Tramwyfa	Ten.	Tennis
Br.	Pont	Cres.	Cilgant	Grn.	Maes	Lwr.	Isaf	Pav.	Pafiliwn	Ter.	Terras
Bldg(s).	Adeiladau	Cft.	Tyddyn	Grd.	Maes	Mkt.	Marchnad	Pl.	Plas	Up.	Uchaf
Bung(s).	Byngalo(s)	Ct.	Llys	Gr.	Llwyn	Mag.	Ynad	Prim.	Cynradd	Vic.	Ficerdy
Bus.	Busnes	Dis.	Nis defnyddir	Hd.	Pen	Mdw(s).	Meadow(s)	Rec.	Hamdden	Vw.	Golygfa
Cara.	Carafan	Dr.	Rhodfa	Hosp.	Ysbyty	Mem.	Coffadwriaeth	Res.	Llyn	Vlls.	Filas
Cem.	Mynwent	E.	Dwyrain	Ho.	Ty	Mon.	Cofadail	Resid.	Preswyl	Wk.	Rhodfa
Cen.	Canolfan	Ent.	Anturiaeth	Ind.	Diwydiannol	Mt.	Mynydd	Rd./Ft.	Heol/Ffordd	Wy.	Ffordd
Cl.	Clos	Est.	Ystad	Inf.	Babanod	N.	Gogledd	Sch.	Ysgol	W.	Gorllewin
Coll.	Coleg	Fld(s).	Cae(-au)	Junc.	Cyfford	Off(s).	Swyddfa(-fedd)	S.	De	Yd.	Iard

Use of this Index: An alphabetical order is followed

1. Each street name is followed by a map reference giving a page number and coordinates: Bodfa Terrace 20 F2.
2. Where a street name appears more than once the reference is given: Maesllwyn 9 A4/A5.
3. There is insufficient space to name all streets in situ, these appear in numbered lists and the reference is given: Arddol Terrace (1) 29 B5.
4. Names not appearing on the map are shown with an * and given the reference of the nearest adjoining street: Ty Pobty*, Argoed 20 G2.

Sut i ddefnyddio'r :dilynnir trefn yr wyddor

Dilynnir enw pob stryd gan gyfeiriad map yn rhoi rhif tudalen a chyfesurynnau: Bodfa Terrace 20 F2.

Lle ymddengys enw stryd fwy nag unwaith rhoddir y cyfeiriad: Maesllwyn 9 A4/A5.

Nid oes digon o le i nodi'r holl strydoedd yn y fan hon, gwelir y rhain mewn rhestrau sydd wedi cael eu rhifo a'u nodir gan gyfeirnod: Arddol Terrace (1) 29 B5.

Dangosir enwau ni ymddangosir ar y map efo * a cyfeirnod at y stryd cyffiniol agosaf: Ty Pobty*, Argoed 20 G2.

ABERDYFI (ABERDOVEY)

Aber Villas 20 G2
Argoed 20 G2
Bath Place 20 G2
Bodfa Terrace 20 F2
Bryn Gwylan 20 G2
Bryn Hyfryd 20 G2
Bryniau 20 G2
Bryniau Uchaf 20 F2
Brynmair*, Copperhill Street 20 G2
Chapel Square 20 G2
Church Street 20 G2
Copperhill Street 20 G2
Copperhill Walk*, Copperhill Street 20 G2
Corbett Lane 20 F2
Evans Terrace 20 G2
Firs, The 20 G2
Fron Heulog 20 G2
Garreglwyd*, Hopeland Road ... 20 G2
Gibraltar Terrace 20 G2
Glan Dyfi Terrace 20 G3
Gwelfor Road 20 F2
Gwelfor Terrace 20 F2
Happy Valley Road 20 G1
Hillside 20 G2
Hillside Road 20 G2
Hopeland Road 20 G2
Lovers Lane 20 F2
Maesnewydd 20 F2
Merlin Ardudwy 20 E2
Mervinia Terrace 20 H2
Mynydd Isaf 20 G2
Nantiesyn 20 H2
New Street 20 G2

Pen y Ffordd 20 G2
Penhelig Lodge 20 H2
Penhelyg Terrace 20 H2
Philip Avenue 20 H2
Plas Meirion 20 H2
Prospect Place 20 G2
Railway Court 20 G2
Railway Terrace 20 G2
Rhoslan 20 E2
Sea View Terrace 20 G3
Terrace Road 20 H2
Trefeddian Bank 20 E2
Treflan 20 E2
Trem y Leri 20 G2
Ty Pobty*, Argoed 20 G2
Tyddyn Isaf 20 G2

ABERSOCH

Bay View Terrace 20 G4
Bryn 20 G5
Bryn Mor 20 F4
Brynhyfryd 20 G5
Bwtri 20 G4
Cae Du 20 F5/G5
Cae Mur 20 E4
Cae Pin 20 G4
Coed y Llyn 20 G5
Congl Feddw 20 G4
Garth Estate 20 G5
Gwydryn Road 20 F5
Haulfryn 20 H5
Llwyn Onn 20 F6
Lodge, The 20 G5
Lon Engan 20 F5
Lon Garmon 20 F4
Lon Golff 20 G5
Lon Gwydryn 20 G5

Lon Hawen 20 G6
Lon Pen Cei 20 G4
Lon Pentre Bach 20 F6
Lon Pont Morgan 20 G4
Lon Rhoslyn 20 G5
Lon Sarn Bach 20 F6
Lon Traeth 20 G5
Lon Ty Gwyn 20 G4
Maes Awel 20 F5
Maes Gwydryn 20 G5
Post Office Buildings*, Y Harbwr 20 G4
Stryd Fawr/High Street 20 G5
Stryd Penlan 20 G5
Tan y Gaer 20 F5
Tyddyn Callod 20 F6
Ynys Fawr 20 F5
Y Harbwr/Harbour Estate 20 G4

AMLWCH

Allt Ednyfed/Ednyfed Hill 9 D3
Alma Terrace 9 A1
Awelfryn 9 D3
Bonc yr Odyn 9 D3
Brewas 9 B4
Brickpool 9 C2
Bro Trehinon 9 B3
Coedllys 9 B4
Craig Ddu Estate 9 B3
Craig y Don 9 C3
Dinorben Court 9 B3
Ffordd Burwen/Burwen Road 9 A4
Ffordd Llaneilian/Llaneilian Road 9 D3
Ffordd Madyn/Madyn Road 9 C3
Ffordd Penybonc/Penybonc Road 9 B3

Ffordd Porth Llechog/Bull Bay Road 9 A3/B3
Ffordd Tanybryn/Tanybryn Road 9 A4
Glan y Don Parc 9 B2
Glan yr Afon 9 C3
Gorwel 9 C3
Groeslon Bungalows 9 A4
Hafan Glyd 9 D2
Links, The 9 A3
Llwyn Onn 9 B4
Llyn Brics/Brickpool 9 D2
Lodge Orchard 9 B3
Lon Bach 9 A3
Lon Goch 9 C3
Lon Parys/Parys Road 9 B3
Lon Tarw 9 A2
Lon Wen/Well Street 9 D3
Lon y Cei/Quay Street 9 D3
Madyn Dysw 9 C3
Maes Ednyfed 9 D2
Maes Llwyn 9 A4/A5
Maes Madyn 9 C3
Maes Mona 9 B3
Maes Salem 9 C4
Maes William Williams V.C. 9 C3
Market Street/Stryd y Farchnad .. 9 B3
Mona Lodge 9 B3
Mynydd Llwyd 9 B6
Park Terrace 9 A4
Pen y Cei/Upper Quay Street 9 D2
Pen y Cae 9 A6
Pen y Cefn 9 C4
Pentrefelin 9 A5
Penybonc 9 B3
Rutland Road 9 A2

Sgwar Dinorben/Dinorben Square 9 B3
Sgwar Parys/Parys Lodge Square 9 B3
Sgwar Peniel/Peniel Square 9 D3
Stryd Bethesda/Bethesda Street.9 A4
Stryd Bryngwynt/Bryngwynt Street 9 D3
Stryd Cae Brics/Brickfield Street.9 D3
Stryd Llewelyn/Llewelyn Street ...9 D3
Stryd Mona/Mona Street 9 B3
Stryd Salem/Salem Street 9 B4
Stryd Wesley/Wesley Street 9 C3
Stryd y Capel/Chapel Street 9 D3
Stryd y Frehines/Queen Street...9 B3
Stryd y Glorian/Machine Street ...9 C3
Tan y Fynwent/Gas Lane 9 B3
Wendon Drive/Ffordd y Wendon.9 B3
Y Garth 9 B2
Ystad Glan y Don/Glan y Don Estate 9 B2
Ystad Glorian/Glorian Estate 9 C3
Ystad Gwelfor/Gwelfor Estate ...9 B3

BALA
Blaenddol 21 B1
Bro Eryl 21 A2
Cae Gadlas 21 A2
Cae Groes 21 A2
Cambrian Terrace (1)...............21 D1
Church Row 21 D1
Craig y Fron 21 A1
Cysgod y Coleg 21 B1
Ffordd y Gerddi 21 B3
Glannan Tegid 21 B3
Green, The 21 C2
Heol Aran/Aran Street 21 B2
Heol Arenig/Arenig Street 21 B2
Heol Berwyn/Berwyn Street (2).21 B2
Heol Ffrydan/Ffrydan Road........21 B1
Heol Pensarn/Pensarn Road 21 A3
Heol Plasey/Plassey Street 21 B2
Heol Tegid/Tegid Street 21 B2
Heol y Castell/Castle Street 21 B1
Heol y Domen/Mount Street 21 B2
Heol yr Eglwys (3) 21 B2
Heol yr Orsaf/Station Road 21 B2
Llys Bueno 21 A2
Lon y Domen/Mount Lane 21 B2
Maes Tegid 21 B2
Maes y Bronydd 21 B2
Maes y Gerddi 21 B2
Mawnog Fach.........................21 A2
Rhesdai Arenig (4) 21 B2
Ro Wen 21 B3
Stryd Fawr/High Street 21 A2
Stryd y Fron 21 A2
Tan y Foel 21 D1
Trem y Fridd 21 B3
Tryweryn Terrace 21 B1
Y Parciau 21 C3
Yr Hafan 21 B2
Ystad Cae Bach 21 B2

BANGOR
Abbey Road/Lon Abaty 5 C4
Ael y Bryn 6 E1
Ainon Close 5 B5
Ainon Road 5 B5
Albert Street/Stryd Albert 5 B5
Aldwyn Crescent 15 C6
Allt Dewi 5 B5
Almshouses, The*, Waterloo St..5 D3
Alotan Crescent 15 C6
Ambrose Street/Stryd Ambrose ..6 E2

Ashley Road/Ffordd Ashley 5 D3
Back Regent Street (1) 5 D3
Beach Road/Lon Glan Mor.........6 E2
Beaumaris Road 5 A1
Belmont Avenue/Rhodfa Belmont 5 B4
Belmont Drive/Heol Belmont 5 B4
Belmont Road/Ffordd Belmont ...5 A4
Belmont Street/Stryd Belmont....5 C4
Berllan Bach 5 D3
Bishops Mill Road/Lon Melin Esgob 5 D4/6 E5
Bishops Walk 5 D3
Blaen y Wawr 5 A6
Bodlonden 15 D3
Breeze Hill Estate*, Ainon Rd. ...6 E3
Brick Street 6 E3
Britannia Cottages 15 B5
Britannia Square 5 C3
Bro Emrys 6 H6
Bro Ogwen 15 D5
Bro Seiri*, Fairview Road 6 E2
Bron Castell 6 E3
Bron y Dre 5 A6
Bryn 6 G6
Bryn Adda 5 A6
Bryn Awelon (Llandegfan) 5 A1
Bryn Difyr Terrace 5 D4
Bryn Eithinog 5 A5
Bryn Llwyd..............................5 B6
Bryn Llwyd Bungalows 5 B6
Bryn Ogwen 15 D5
Brynheulog Terrace 5 B6
Brynteg Terrace/Rhes Brynteg ...5 D3
Bulkeley Road/Ffordd Bwcle......5 C2
Cae Bach 6 H6
Cae Gwigin 6 H6
Cae Maeslodwig 5 C4
Caellepa 5 D3
Caer Deon 5 B5
Caernarfon Road/Ffordd Caernarfon 5 B5
Castle Hill Terrace 5 D3
Castle View Terrace 6 E1
Cathedral Close*, Waterloo St. ...5 D3
Church Street 5 C5
Cichle Hill 5 A1
Cil Coed 5 B6
Cilmelyn 15 D5
City View*, Caellepa 5 C3
Clarence Street/Stryd Clarence ..5 C4
Club Street (1) 6 E2
Coed y Castell 6 F3
Coed y Maes 15 D5
College Lane 5 D2
College Road/Ffordd Coleg 5 C3
Convent Lane 5 C4
Craig Menai*, Craig y Don Road.5 C3
Craig y Don Road/Ffordd Craig y Don
Crescent, The/Y Cilgaint 5 C3
Dean Street 5 D2
Deiniol Centre*, High Street 5 D3
Deiniol Road/Ffordd Deiniol 5 C4
Deiniol Street 5 D3
Dol Helyg 6 H6
Ebenezer Place (5) 5 D3
Edge Hill 5 B5
Edmund Street/Stryd Edmund (2) 6 E2
Eldon Terrace (2) 5 D3
Elen Street (3) 6 E2
Erw Fair 5 D2

Euston Road/Ffordd Euston........5 C4
Evelyn Road/Lon Efelyn.............5 C2
Fairview (Llandegfan).................5 A1
Fairview Road 6 E2
Farrar Road/Ffordd Farrar 5 C4
Ffordd Bronwydd....................15 B5
Ffordd Ceiriog 6 E2
Ffordd Coed Mawr 5 A5
Ffordd Crwys..........................15 C6
Ffordd Cynan 15 C6
Ffordd Cynfal...........................5 B4
Ffordd Denman 5 C4
Ffordd Eithinog 5 A5
Ffordd Elfed.............................6 E4
Ffordd Gelli Morgan 15 A6
Ffordd Gwyndy 15 D5
Ffordd Gwynedd 5 D3
Ffordd Hendre 5 B6
Ffordd Islwyn 6 E2
Ffordd Menai 15 D5
Ffordd Penlan 15 A6
Ffordd Seion 6 E2
Ffordd Tan y Bryn 6 E3
Ffordd Tegai 6 F4
Ffordd Tegid 6 E2
Ffordd Ty'n y Clwt..................15 C5/D5
Ffordd y Castell 6 E4
Ffordd y Llyn 15 A6
Ffordd y Parc 15 A6/B6
Ffriddoedd Road 5 B4
Field Street/Stryd Cae...............5 C3
Flats, The 6 F4
Fountain Street 6 E2
Four Crosses 15 B6
Friars Avenue 6 E2
Friars Road 6 E2
Friars Terrace 6 E3
Fron Dirion Terrace*, Glanrafon Hill 5 C3
Fron Heulog Terrace (3) 5 C3
Gambier Terrace (4)...................6 E2
Gardd Denman.........................5 B4
Garfield Terrace (5) 6 E2
Garth Hill Cottages 6 E1
Garth Hill/Allt y Garth 6 E1
Garth Road/Ffordd Garth....5 D3/6 E1
Garth Terrace 6 E1
Ger y Mynydd 6 E3
Gerddi Abaty*, Abbey Road........5 C4
Gernant 5 C5
Glan Dwr Terrace 6 E1
Glan Menai 15 B5
Glanaethwy Road 15 D3
Glandwr Road 6 E1
Glandwr Terrace 6 E1
Glanrafon Hill 5 C3
Glantraeth 6 F3
Glynne Road/Ffordd Glynne 6 E2
Goleu Fryn 15 C5
Gorad Road/Ffordd Gorad 5 C2
Gordon Terrace (6) 6 E2
Graigfryn Terrace*, Garth Road ..6 E1
Greenbank 6 E1
Greenwood Avenue/
    Rhodfa Greenwood 6 F4
Gwern Las 6 E5
Hendrewen Road 5 C5
Heol Dewi 5 B5
High Street 5 C4/6 E3
Hill Street/Stryd yr Allt 5 C3
Holyhead Road 5 A4/C4
Hwfa Road/Ffordd Hwfa 5 C2
James Street 6 E3

Kingsley Avenue/Rhodfa Kingsley 6 E4
Kyffin Square 5 D4
Llain yr Eglwys 6 F4
Llain yr Ysgol...........................6 E3
Llandygai Road/Ffordd Llandygai F2/G5
Llwyn Hudol 6 F3
Llys Arthur 6 F3
Llys Bedwyr 6 F3
Llys Branwen*, Greenwood Av....6 F4
Llys Cadwaladr*, Lon y Felin......6 E4
Llys Ceiros 15 D5
Llys Deiniol*, Garth Road...........6 E1
Llys Dewi Sant 5 B5
Llys Dyfrig 6 F3
Llys Dylan 6 F3
Llys Elen*, Ambrose Street 6 E2
Llys Emrys 6 E2
Llys Geraint 6 F3
Llys Ivor*, Garth Road 6 E1
Llys Mabon 6 F3
Llys Mieri 5 A4
Llys Owain 6 F3
Llys Tryfan 5 C3
Llys Tudur*, Ffriddoedd Road 5 C3
Llys y Banol 15 D6
Llys y Dderwen 15 D6
Llys y Fedwr 15 D6
Llys y Miaren 15 C6
Llys yr Afallen 15 D5
Llys yr Eithen 15 C6
Llys yr Onnen 15 C6
Lon Ddwr (Tal-y-bont) 6 H5
Lon Eryri 5 B5
Lon Ganol (Llandegfan) 5 A1
Lon Ogwen 5 B4
Lon Pobty 5 D4
Lon Powys 5 B4
Lon Ty Mawr 5 B1
Lon Tyddyn 6 E4
Lon y Bedw 5 A6
Lon y Bryn 5 A5
Lon y Deri 5 A5
Lon y Felin 6 E4
Lon y Ffrwd 5 A5
Lon y Glyder 5 B4
Lon y Meillion 5 A5
Lon y Parc 6 F3
London Place*, High Street 6 E3
Love Lane/Lon Cariadon............5 D3
Lower Penrallt Road 5 D3
Lower Street 5 D3
Maes Awel (Llandegfan) 5 A1
Maes Isalaw 6 E2
Maes Mawr 15 D5
Maes y Dref 6 E2
Maes y Gerddi 6 H2
Maeshyfryd 15 D3
Mall, The*, Well Street 5 D3
Marian Terrace*, Garth Hill 6 E1
Marine Court*, Upper Garth Rd...6 E2
Mason Street 6 E2
Medway Road 6 E2
Meirion Lane 6 E2
Meirion Road/Ffordd Meirion 5 D2
Menai Avenue/Rhodfa Menai......5 C3
Menai View Terrace 5 C3
Min Menai 5 A5
Min Ogwen 6 H6
Min y Coed 6 F4
Min y Ddol 6 E5
Minafon 5 D3

Mount Pleasant Terrace/
   Rhes Brynhyfryd................5 D3
Mount Street/Tai'r Mynydd 6 E3
Mountain Square 6 E3
Mountain View (4) 5 D3
Neudd Reichel..........................5 B4
Orme Road...............................6 E2
Orme Terrace............................5 C4
Orme View 5 C4
Osborne Terrace (7) 6 E2
Park Street/Stryd y Parc (6) 5 D3
Peacock Walk*, Meirion Lane ...5 D2
Pen y Wern 5 B5
Penchwintan Road/
   Ffordd Penchwintan............5 B5
Penchwintan Terrace 5 B5
Penfridd Cottages 15 D5
Penllys Terrace (7) 5 D3
Penlon Gardens 6 E2
Pennant Crescent 5 C4
Penrallt Road 5 D3
Penrhos Avenue 5 A5
Penrhos Drive/Heol Penrhos.......5 A5
Penrhos Road/Ffordd Penrhos
   ....5 A6/15 B6/D5
Penrhyn Avenue/Rhodfa Penrhyn
   ....6 E5
Penybryn Road/Ffordd Penybryn 6 F3
Penyffridd Road 5 A6
Penyffridd Cottages 5 A6
Plas Adda*, Ainon Road.............5 B5
Plas Glyndwr*, Ffordd Tan y Bryn
   ....6 F3
Plas Gwyn.................................5 C3
Plas Llwyd Terrace*, High St. 5 D3
Plas Mabon*, Ffordd Tan y Bryn .6 F3
Plas Marchogion*, Ffordd Tan y Bryn
   ....6 F3
Plas Pobty................................5 D3
Plas y Gerddi............................6 F3
Plas y Llyn*, Ffordd Tan y Bryn...6 F3
Plasllwyd Flats*, High Street 6 E3
Plasllwyd Terrace 6 E3
Port Penrhyn Road....................6 F2
Princes Road/Ffordd y Tywysog .5 C3
Queens Avenue 6 E4
Regent Street/Stryd Regent (8) ..5 D3
Rhos Adda 5 C4
Rhos Uchaf 15 D5
Rhosfryn 15 B6
Rhoslan 15 C6
Robert Street (8) 6 E2
Sackville Road/Ffordd Sackville...5 D3
Sackville Terrace*, Garth Road...6 E1
School Lane 5 B5
Seiriol Road..............................6 E2
Seiriol Terrace 6 E2
Sherwood Flats*, Holyhead Rd...5 C4
Siliwen Road/Ffordd Siliwen 5 C3
Snowdon View/Trem yr Wyddfa .5 C3
St. James Drive 5 C3
St. Marys Avenue 6 E2
St. Pauls Court*, Sackville Rd.....5 D3
St. Pauls Terrace 5 D3
Station Road 6 E2
Strand Street/Ffordd y Traeth 6 E2
Talybont Cottages.....................6 H5
Tan y Bryn 5 D4
Tan y Bryn Terrace/Rhes Tan y Bryn
   ....5 D4
Tan y Coed...............................6 E5
Tan y Graig 5 C5
Tan y Maes 5 C5

Tan y Mynydd............................6 E3
Tanyfron Terrace*, High Street ...6 E3
Temple Road 5 C3
Toronnen 5 A6
Totton Road 6 E2
Treborth Road 15 B6
Treflan 5 D3
Trefonwys 5 A4
Tregaean 15 D5
Trehwfa 5 A6
Trem Elidir 5 B4/B5
Trem y Dinas*, Glanrafon Hill 5 C3
Trem y Garnedd 6 E5
Trem y Nant 5 C4
Trevelyan Terrace*, High Street...6 E3
Ty Mawr (Llandegfan) 5 B1
Ty Mawr (Tal-y-bont).................6 H6
Ty'n y Lon 15 B6
Tyddyn Cottages 6 H6
Tyn Rodyn (9) 5 D3
Union Street 6 E3
Upper Bryn Owen Terrace 5 B6
Upper Garth Road/Ffordd Garth Uchaf
   ....5 D2
Uxbridge Court.........................5 C4
Victoria Avenue/Rhodfa Fictoria .5 C3
Victoria Drive/Heol Victoria 5 C3
Victoria Park/Parc Fictoria 5 C3
Victoria Square/Sgwar Victoria ...5 C5
Victoria Street/Stryd Victoria 5 C3
Vron Square/Sgwar y Fron 5 C3
Water Street/Lon Ddwr..............6 E2
Waterloo Street 5 D3
Well Street/Ffordd y Ffynnon 5 D3
Wellfield Arcade*, Well Street 5 D3
Wellfield Court*, Well Street........5 D3
Wellfield Shopping Centre 5 D3
West End 5 C4
William Street/Stryd William 6 E2
Y Gorllan 6 E4
Y Rhos 15 D5
York Place 5 D3

**BARMOUTH
(ABERMAWR)
& FAIRBOURNE**
Aberamffra Road.....................21 D6
Aberamffra Terrace*, Aberamffra Rd.
   ....21 D6
Abermawr Terrace 21 C6
Ael y Don (1) 21 C6
Aelfor Terrace (1) 21 C5
Alley Fach 21 B5
Alyn Road 21 D4
Beach Road (Barmouth) 21 B5
Beach Road (Fairbourne) 21 D5
Beachside*, South Avenue 21 B5
Belgrave Road 21 D4
Bennar Lane*, High Street 21 C6
Bennar Terrace 21 C5
Blomfontein Terrace*, Park Rd. 21 B4
Borthwen Terrace*, Church St. ..21 D6
Bro Eifion 21 C5
Bronaber Terrace 21 C6
Bryn Awel Terrace*, Cell Fechan Rd.
   ....21 B5
Bryn Mynach Road..................21 B5
Bryn Telynor 21 B5
Brynmawr Terrace (2) 21 C5
Cambrian Street (5) 21 C5
Cell Fechan Road 21 B4
Church Road*, Cell Fechan Rd..21 B5
Church Street/Stryd yr Eglwys ..21 C6
Coventry Terrace*, Park Road ..21 B5

Cumberland Lane (2) 21 C6
Cumberland Place (3) 21 C6
Datcha, The 21 D4
Dinas Oleu Lane 21 C5
Doctors Buildings*, High Street.21 C5
Epworth Terrace*, Kings Cres...21 B5
Ffordd Bro Mynach*, Llanaber Road
   ....21 B4
Ffordd Corsen 21 D5
Ffordd Meirion 21 D5
Ffordd Pentre Mynach*, Llanaber Rd.
   ....21 B4
Francis Avenue 21 D4
Fron Felen Terrace (4) 21 C5
Gibraltar Lane*, Church Street..21 C6
Glanaber Terrace 21 C6
Glanymor 21 D4
Glanymor Holiday Village..........21 D4
Glanymor Terrace (5)...............21 C5
Glasfor Terrace (6)...................21 C5
Gloddfa Road 21 C5
Goronwy Terrace*, Church St...21 C6
Graig View 21 C6
Hanlith Terrace 21 B4
Harbour Lane (4) 21 C6
Hendre Villas (7) 21 C5
Heol Idris 21 A4
Heol Llewelyn 21 A4
Heol Meirion 21 A4
Heol Rowen 21 D5
Heol Seithendre 21 D5
Heol y Cader 21 D5
Heol y Llan 21 A4
Heol y Plas 21 A4
Heol y Sarn 21 A4
High Street/Stryd Fawr.............21 B5
Idris Lane 21 C6
Jubilee Road 21 B5
King Edwards Street 21 B5
Kings Crescent/Ffordd Dyrpac ..21 B4
Llanaber Road 21 B4
Llewelyn Drive.........................21 D4
Llys Dedwydd 21 B5
Maes Mynach*, Park Road 21 B5
Maesteg 21 B4
Marina Avenue 21 D5
Marine Cottages*, Marine Parade
   ....21 B5
Marine Gardens 21 B5
Marine Parade 21 B5
Marine Road 21 B5
Midland Flats*, Church Street ..21 C6
Mona Flats*, Jubilee Road 21 B5
Mynach Road 21 B4
North Avenue 21 B5
Northfield Road 21 B5
Panorama Road 21D6
Park Mews 21 B5
Park Road 21 B4
Penbryn 21 C5
Penrallt House*, Aberamffra Road
   ....21 D6
Penrhyn Drive North 21 D4
Penrhyn Drive South 21 D5
Pentre Bach*, Marine Parade ..21 B5
Plas Gwyn (8) 21 C5
Porkington Terrace*, Panorama Ter.
   ....21 D6
Princes Avenue 21 B5
Promenade, The 21 A4/B5
Quay, The 21 C6
Regents Buildings*, Church St..21 C6
Richmond Court (9)..................21 C5

Rock Cottages 21 C5
Seaview Terrace 21 C5
South Avenue..........................21 B5
St. Annes Square 21 B5
St. Davids Court*, St. Johns Hill21 B5
St. Georges Lane*, Church St. .21 C6
St. Georges*, Church Street 21 C6
St. Johns Hill (10) 21 B5
Stanley Road 21 D5
Station Road (Barmouth) 21 B5
Station Road (Fairbourne) 21 D5
Tai'r Heli*, Heol y Llan..............21 A4
Talbot Road 21 D4
Tremorfa Close 21 D4
Tyn y Coed Buildings*, High Street
   ....21 C5
Tyn y Coed Mews*, High St. 21 C5
Victoria Place*, King Edwards Street
   ....21 B5
Water Street (11) 21 C5
Waverley Road 21 D4
Wellington Terrace 21 A4
Williams Buildings*, Church St...21 C5

BEAUMARIS
Allt Goch Bach 22 E3
Allt Goch Fawr.........................22 E1
Alma Street 22 G2
Arnold Close 22 G2
Beaumaris Road......................22 F3
Bryn Lane 22 G2
Bryn Teg 22 F1
Bryn Tirion 22 G2
Bulkeley Cottages 22 G1
Bulkeley Terrace (1) 22 G2
Bunkers Hill (2) 22 G2
Burton Way 22 H3
Cadnant Court 22 G1
Cae Mair 22 F2
Cae Mair Uchaf 22 F2
Castle Row 22 G2
Castle Street 22 G2
Chapel Street 22 G2
Church Street 22 G1
Crofton Mews..........................22 G1
Elusendi 22 E1
Ffordd Meigan 22 G1
Ffordd yr Eglwys 22 H3
Gadlys Lane 22 G2
Gaol Street 22 G2
Gerddi Stanley 22 G1
Green Cottages 22 H1
Green Edge 22 H1
Hampton Way 22 H3
Iscoed 22 F1
Little Lane 22 G1
Maes Hyfryd 22 F1
Margaret Street 22 G2
Market Square (3) 22 G2
Menai Court (4)........................22 G1
Mews, The 22 G1
Mile Road, The 22 E1
Mill Lane 22 F2
New Street 22 G2
Plas Coch Terrace 22 G1
Raglan Street 22 G2
Rating Row 22 G1
Rose Hill 22 G2
Rosemary Lane 22 G2
St. Catherines Close 22 H3
Stanley Street 22 G1
Steeple Lane 22 G1
Stevens Court 22 G1
Stryd Llewelyn.........................22 H3

Thomas Close 22 F1
Townsend (5)...........................22 G2
Tros yr Afon 22 G2
Victoria Terrace.......................22 H2
West End (6)............................22 G2
Wexham Street.........................22 F1
York Terrace (7).......................22 G2

BENLLECH

Amlwch Road 28 F4
Bay View Estate 28 F5
Bay View Road 28 F5
Beach Road/Ffordd y Traeth 28 F5
Breeze Hill 28 E6
Bryn Adda 28 E5
Bryn Awel 28 E6
Bryn Don 28 F5
Bryn Mathafarn 28 E5
Bryn Siriol...............................28 E5
Bwthyn Medi*, Bryn Awel 28 F6
Cherry Tree Close 28 E4
Craig y Don 28 E4
Craig y Don Estate 28 E4
Dingle Lane 28 F5
Dolafon 28 F5
Efail Newydd 28 F4
Fernhill 28 E5
Ffordd Bangor/Bangor Road 28 E6
Ffordd Cynlas 28 F5
Fron Deg 28 F5
Garreglwyd...............................28 E6
Lon Aber..................................28 F6
Lon Conwy 28 F6
Lon Fferam 28 F6
Lon Gogarth 28 F6
Lon Pant y Cudyn......................28 F5
Lon Penmon 28 F6
Lon Penrhyn 28 F6
Lon Thelwal 28 F6
Lon Twrcelyn 28 F6
Maes Llydan 28 E6
Min yr Afon 28 E4
Paradise Court 28 E4
Precinct, The 28 E5
Rhianfa 28 F6
Stad Minffordd.........................28 E4
Swn y Don 28 E4
Trem y Mor 28 F4
Tyddyn Fadog 28 E4
Upper Breeze Hill 28 E6
Waun Dirion 28 E4
Y Bwthyn Bach 28 F6

BETHESDA

Abercaseg................................10 G4
Adwy'r Nant..............................10 G4
Allt Penybryn/Penybryn Road....10 G4
Braich Talog 10 F6
Braichmelyn 10 G5
Bro Derfel 10 F6
Bro Syr Ifor 10 E5
Bron Arfon 10 F1
Bron Bethel..............................10 F1
Bron Salem/Salem Place 10 F1
Bryn Caseg 10 G4
Bryn Hedydd 10 G2
Bryn Pistyll..............................10 F1
Brynboeth 10 F6
Brynteg Place 10 G3
Bryntirion 10 F3
Cae Chwarel (1)........................10 G1
Cae Star/Ogwen Street 10 F4
Cae'r Groes..............................10 G1
Caer Berllan 10 G5
Cefn Cwlyn 10 G5

Cerrig Llwydion.........................10 F5
Cil Caseg 10 G5
Cilfodan 10 G3
Cilfodan Terrace 10 H3
Cilfoden Cottages 10 G3
Cilfoden Street 10 G3
Ciltrefnus/Long Street 10 G4
Ciltwllan 10 H5
Coetmor Mount........................10 F3
Coetmor New Road 10 F3
Council Houses.........................10 G3
Craig y Pandy...........................10 E6
Cwlyn 10 G5
Cymro Street............................10 G3
Dob 10 E6
Dol Goch 10 E2
Elfed Terrace 10 E3
Erw Faen 10 E5
Ffordd Abercaseg/Abercaseg Street
....10 G4
Ffordd Bangor/Bangor Road 10 E3
Ffordd Carneddi/Carneddi Road
....10 F2/G3
Ffordd Coetmor/Coetmor Road.10 E2
Ffordd Ffrydlas 10 G3
Ffordd Garneddwen 10 G4
Ffordd Gerlan/Gerlan Road 10 H4
Ffordd Llanllechid.....................10 F1
Ffordd Pantglas/Pantglas Road 10 F4
Ffordd Stesion/Station Road 10 F4
Ffordd Tanrhiw/Tanrhiw Road....10 E5
Ffordd Tanybwlch/Tan y Bwlch Road
....10 G1
Ffordd y Mynydd/Mountain Road
....10 G1
Ffrancon View 10 E4
Ffrwd Galed..............................10 E6
Foel Ogwen 10 F1
Fron Bant 10 H4
Fron Hyfryd 10 E6
Fronchwith Street*, Stryd Fawr.10 G1
Frondeg Street (3).....................10 G1
Frondeg*, Gerlan New Road 10 G4
Gerlan New Road 10 G4
Gernant 10 G5
Glan Ogwen 10 G4
Glanffrydlas..............................10 G4
Glanogwen Cottages*, Stryd Fawr
....10 G4
Glanrafon 10 H4
Gray Street/Stryd Gray 10 G3
Grisiau Cochion*, Pont Twr.......10 F5
Gwel y Nant*, Pen y Graig 10 F4
Gwernydd 10 H5
Hen Aelwyd 10 F3
Henbarc Road...........................10 G2
Hendurnpike 10 F6
James Street............................10 G6
John Street/Stryd John..............10 F4
Llain Deg.................................10 G4
Llain y Pebyll 10 E3
Llawr y Nant.............................10 G5
Llidiart y Gwenyn*, Ffordd Carneddi
....10 G3
Llwyn Bleddyn Road 10 E2
Llys Victoria/Victoria Court 10 F3
Lon Ddwr/Water Street (Bethesda)
....10 G3
Lon Groes/Water Street (Llanllechid)
....10 G1
Lon Hafodty 10 F6

Maes Bleddyn...........................10 F2
Maes Coetmor...........................10 F3
Maes Ogwen 10 F5
Maes y Garnedd 10 G4
Mill Street................................10 F4
New Terrace..............................10 E6
Ogwen Square 10 F4
Ogwen Street*, Stryd Fawr........10 F4
Pant Road 10 G4
Pen Clwt*, Ffordd Gerlan 10 H4
Pen y Graig 10 F4
Pendinas 10 F5
Penrhyn Terrace/Rhes Penrhyn 10 F3
Penybryn Place/Cefn y Bryn......10 G4
Penybryn Terrace/Rhes Penybryn
....10 G4
Penygroes 10 F6
Plas Carmel (2) 10 F1
Plas Ogwen 10 G5
Pont Twr 10 G5
Pont y Pant Isaf 10 G4
Rachub Square 10 F4
Railway Cottages 10 E5
Rallt Isaf/Hill Street 10 H5
Rhes Coetmor/Coetmor Terrace10 E4
Rhes Douglas/Douglas Terrace 10 G3
Rhes Gerlan/Gerlan Terrace......10 H4
Rhes Gordon/Gordon Terrace ..10 E3
Rhes Mostyn/Mostyn Terrace ...10 F3
Rhes Ogwen/Ogwen Terrace ...10 G4
Rhes Stanley/Stanley Terrace...10 F1
Rhes Tabernacl/Tabernacle Terrace
....10 F4
Rhes Victoria/Victoria Terrace...10 F3
Rhes William/William Terrace ...10 F3
Rhos y Coed.............................10 F3
Rhos y Nant.............................10 G5
Rock Terrace/Rhos y Graig 10 F3
Sgwar Buddug/Victoria Square .10 F4
Slate Mill Cottages....................10 E4
Stad Coetmor...........................10 E2
Stryd Britannia/Britannia Street .10 F1
Stryd Bryn Owen/Bryn Owen St. (4)
....10 G1
Stryd Brynteg/Brynteg Street 10 G3
Stryd Cefnfaes/Cefnfaes Street 10 G3
Stryd Doctor/Doctor Street (5)...10 F1
Stryd Fawr/High Street (Bethesda)
....10 F4
Stryd Fawr/High Street (Llanllechid)
....10 F1
Stryd Fer/Short Street 10 F1
Stryd Ganol/Middle Street.........10 G3
Stryd Glanafon/Glanafon Street 10 F4
Stryd Goronwy 10 H5
Stryd Goronwy No.1..................10 H5
Stryd Goronwy No.2..................10 H5
Stryd Goronwy No.3..................10 H5
Stryd Morgan/Morgan Street......10 H4
Stryd Walter (7).........................10 G1
Stryd y Ffynnon No.1.................10 H5
Stryd y Ffynnon No.2 ....10 H5
Stryd y Ffynnon No.3 ....10 H5
Stryd y Ffynnon No.4 ....10 H4
Stryd y Ffynnon/Well Street
(Bethesda) 10 H5
Stryd y Ffynnon/Well Street
(Llanllechid) (6).....................10 G1
Tal y Cae.................................10 E5
Tan Treflys..............................10 H4
Tan y Ffordd (Llanllechid) (9)....10 G1
Tan y Ffordd (Tregarth)............10 E6
Tan y Foel 10 H3

Tan y Fron Street (10) 10 G1
Tan y Gadlas*, Braichmelyn 10 G5
Tan y Gaer...............................10 G3
Tan y Garth..............................10 G1
Tan yr Onnen 10 E6
Tandderwen (8) 10 G1
Tanrallt...................................10 G1
Tanysgafell 10 E4
Ty'n Twr 10 G5
Tyddyn Canol 10 F2
Tyn Clawdd 10 E5
Tyn Lon 10 E6
Tyn y Coed 10 G3
Tynffridd 10 G2
Upper Hill Street.......................10 H4
Victoria Place 10 F4
Waen y Pandy 10 F2
Yr Hen Ysgol 10 F2
Ystad Coetmor 10 F3

BETWS-Y-COED

Banc Llugwy 28 G4
Bro Gethin...............................28 G6
Coedfa Cottages 28 H6
Ffordd Craiglan 28 H5
Ffordd Gethin............................28 G6
Ffordd Hen Eglwys/Old Church Road
....28 H5
Fforest Road 28 G4
Holyhead Road 28 G6
Llanrwst Road 28 H6
Pentre Felin 28 G4
Railway Cottages 28 G4
Rhes Dolydd/Dolydd Terrace....28 G6
Rhes Gethin/Gethin Terrace.....28 G6
Station Approach 28 H4

BLAENAU FFESTINIOG

Afon Row.................................11 B2
Arfryn (Blaenau Ffestiniog) 11 B2
Arfryn (Ffestiniog).....................11 B5
Baltic Road..............................11 B1
Barlwyd Avenue 11 B2
Barlwyd Terrace 11 A2
Baron Road 11 C2
Bellevue.................................11 B5
Benar Road 11 B2
Benar View (1) 11 B2
Blaen Afon 11 C2
Blaenau Road 11 A5
Bodafon 11 D2
Bowydd Road 11 C2
Bowydd Street 11 C2
Bowydd View 11 C2
Bro Dwyryd 11 D3
Bro Gadir.................................11 D5
Bron View................................11 C2
Bryn Bowydd 11 C2
Bryn Brysgyll 11 B5
Bryn Coed 11 A5
Bryn Dinas...............................11 B1
Bryn Ffynnon 11 D3
Bryn Goleu 11 B2
Bryn Gors 11 B1
Bryn Gwyn 11 A5
Bryn Tegan*, High Street 11 D2
Bryn Twrog...............................11 B2
Cae Ffridd 11 A2
Caersalem Terrace 11 A2
Cambrian Terrace 11 A3
Capel Gwyn..............................11 A5
Church Street 11 C2
Commercial Square 11 C2
Congl y Wal Bungalows 11 D5
Cromwell Street 11 C2

Cwmbowydd Road..............11 D3
Cwmorthin Road 11 A3
Cynfal Terrace....................11 B5
Dinas Road 11 B1
Dolgarreg Ddu...................11 C2
Dolydd Terrace...................11 A3
Dorvil Road 11 C2
Dorvil Street 11 B2
Eifion Terrace.....................11 A3
Ffestiniog Road..................11 A3
Fron Fawr...........................11 B2
Fron Goch Cottages...........11 D3
Fronlas...............................11 D5
Geufron Terrace.................11 C2
Gladstone Terrace 11 D4
Glan Eiddiol.......................11 D4
Glan y Don 11 B1
Glan y Wern 11 D4
Glanypwll Road..........11 A3/B1
Glynllifon Street.................11 D2
Hafan Deg..........................11 A3
Hafod Ruffydd 11 D2
Haulfryn Terrace 11 B2
Hendre Ddu.......................11 D6
Heol Maenofferen/Maenofferen Street
......................................11 C2
Heol Towyn/Towyn Road ...11 B2
Heol yr Orsaf/Station Road ...11 B5
High Street/Stryd Fawr.......11 D2
Holland Terrace 11 A3
Holland View......................11 B2
Hospital Road.....................11 B1
Incline Terrace 11 D2
Isfryn Terrace 11 D3
Jones Street 11 B2
Lampeter Terrace (2) 11 B2
Leeds Street.......................11 C2
Llanddwyn Terrace 11 D2
Lle'r Farchnad 11 B5
Llwyn Hir 11 D4
Llwyn y Gell Road 11 C1
Llwyngell Terrace 11 C1
Llygaid yr Haul (3) 11 B2
Lord Street 11 D1
Lower Cwm Bowydd 11 D2
Maes y Plas 11 D3
Manod Road 11 D3
Manod Road/Ffordd Manod ...11 D3
Manod View 11 A3
Market Square 11 C2
Meirion Terrace 11 C2
Mills Row...........................11 C2
Moel Gwyl 11 A5
New Bryn Bowydd...............11 B2
New Market Square 11 C2
New Road 11 D2
New Street 11 D2
New Terrace 11 A3
Newborough Street.............11 C2
North Western Road 11 B1
Oakeley Square 11 B2
Old Tanymanod Terrace 11 D3
Owens Row........................11 D1
Oxford Street......................11 C2
Pantllwyd............................11 B5
Park Square 11 D2
Parrys Terrace 11 C1
Pengelli Terrace 11 D3
Pengwndwn 11 D3
Penhafodlas 11 D3
Peniel Terrace 11 D3
Penlan...............................11 A3
Penybryn (Ffestiniog) 11 A5

Penybryn Terrace 11 D3
Picton Terrace 11 C2
Rhyd y Felin 11 C2
Rhyd y Gro 11 A3
Richmond Terrace 11 D2
Salem Place 11 B1
Springfield*, Church Street ...11 D2
Square, The/Y Sgwar.........11 C2
Summerhill Terrace.............11 D2
Sun Street/Ffordd Heulog ...11 B5
Tabernacl Terrace...............11 D2
Tai Dolawel 11 B1
Tai Foel..............................11 B2
Tai'r Gelli 11 D3
Taliesin Terrace (4) 11 B2
Tan Rhos 11 D6
Tan y Clogwyn 11 D2
Tanrallt Terrace..................11 D2
Tanyfron............................11 D2
Trem y Bwlch 11 B2
Tyddan Gwyn 11 D4
Tyddyn Gwyn Terrace..........11 D3
Tyn y Maes 11 A5
Uncorn Terrace 11 D1
Walter Terrace 11 D1
Waterloo Cottages*, Manod Rd.11 D3
West End*, Cwmorthin Road 11 A5
Wynne Avenue/Heol Wynne 11 C2
Wynne Road/Ffordd Wynne 11 D2
Ynys Terrace......................11 D2

BONTNEWYDD

Brymer Terrace/Ffordd Brymer .29 B1
Bueno Terrace/Ffordd Bueno 29 B1
Dol Bueno 29 A2
Erw Deg 29 A1
Ffordd Bont Saint/Pwllheli Road
......................................29 A3
Glan Beuno 29 A1
Glanafon............................29 A2
Llwyn Bueno 29 B2
Tai Digbeth/Digbeth Terrace 29 B3
Tai Libanus/Libanus Terrace.....29 A3
Tyddyn Elen Cottages..........29 B1
Y Bryn 29 B2

CAERNARFON

Aber Foreshore Road..........12 E3
Ael y Garth 12 F2
Ala Las/Maesincla Lane 12 F3
Alexandra Terrace 12 F2
Allt Pafiliwn 12 E3
Assheton Terrace (1)..........12 F4
Balaclava Road/Ffordd Balaclafa
......................................12 E3
Bangor Road 12 F1
Bangor Street/Stryd Bangor 12 E3
Bank Quay/Cei Banc 12 E3
Beulah Square*, Gelert Street...12 F4
Bowling Green Cottages*,
St. Davids Road...........12 F2
Bridge Street/Stryd y Bont........12 E3
Bro Helen/St. Helens Terrace ...12 F4
Bro Seiont 12 H4
Bron y Garth 12 F3
Bryn Eilian 12 G4
Bryn Hyfryd........................12 F5
Bryn Rhos 12 H3
Cadnant Road/Allt Cadnant......12 F4
Cae Berllan 12 G2
Cae Bold 12 G2
Cae Corn Hir 12 F5
Cae Groes (2).....................12 F4
Cae Gwyn 12 G1
Cae Llwybr 12 G2

Cae Mur............................12 G3
Cae Synamon.....................12 F1
Caeau Bach 12 G5
Caer Garreg 12 G3
Caer Saint..........................12 G4
Caer Ymryson 12 F4
Campbell Road/Lon Campbell ..12 F2
Carreg Garth 12 G1
Castle Ditch/Pen Deitsh 12 E3
Castle Hill/Allt y Castell 12 E3
Castle Square 12 E3
Castle Street/Stryd y Castell 12 E3
Cefn Cadnant.....................12 G3
Cefn Hendre 12 F4
Cefn Talar..........................12 F4
Chapel Street/Tre'r Gof 12 E3
Church Lane*, Church Street...12 E3
Church Street/Stryd yr Eglwys ..12 E3
Cil Coed 12 G3
Cil Isaf 12 F3
Cil Peblig...........................12 G4
Cil Uchaf 12 G3
Coed Helen Lane/Lon Coed Helen
......................................12 E4
Coed Helen Road/Ffordd Coed Helen
......................................12 E4
Constantine Terrace/Rhes Gwstenin
......................................12 E3
Crown Street/Upper Glan y Mor 12 E3
Cwm Silyn 12 G5
Cwrt Pafiliwm*, Bangor Street...12 E3
Derwen Las........................12 F5
Dinorwic Street/Stryd Dinorwig..12 F4
Dock Road 12 E2
East Twthill/Dwyrain Twthill....12 E3
Eastgate Street/Stryd Porth Mawr
......................................12 E3
Edward Street/Heol Edward......12 F3
Eleanor Street/Stryd Elinor.....12 F3
Ffordd Bethel/Bethel Road 12 F3
Ffordd Bont Saint/Pwllheli Road12 F6
Ffordd Cae Garw 12 H3
Ffordd Cibyn 12 G4
Ffordd Coed Marion 12 G4
Ffordd Cwellyn...................12 G2
Ffordd Cwstenin/Constantine Road
......................................12 F4
Ffordd Elidir 12 G2
Ffordd Eryri 12 F4
Ffordd Glasgoed 12 G2
Ffordd Llanberis/Llanberis Road
......................................12 F4/G3
Ffordd Maes Barcer............12 F3
Ffordd Marchlyn 12 G2
Ffordd Menai 12 G1
Ffordd Pafiliwn 12 E3
Ffordd Pandy 12 G3
Ffordd Waunfawr/Waunfawr Road
......................................12 H4
Ffordd Wern 12 G3
Ffordd Ysgubor Goch 12 F3
Gallt y Sil...........................12 G4
Garnon Street/Stryd Garnon ...12 F4
Gelert Street/Stryd Gelert 12 F4
Gerddi Menai 12 F1
Glan Cadnant.....................12 G3
Glan Peris 12 G3
Glan Seiont 12 G5
Glan y Mor........................12 E3
Greengate Street/Tan y Pont ...12 E3
Hampton Road 12 F3
Hendre Street/Stryd yr Hendre ..12 F4
Henwalia 12 F4

High Street/Styrd Fawr.........12 E3
Hill Street/Heol y Bryn 12 F3
Hole in the Wall Street/
Stryd Twll yn y Wal 12 E3
Hyfrydle.............................12 G4
John Lloyd Street/Stryd John Lloyd (3)
......................................12 E3
Llain y Felin 12 H3
Llanbeblig Road..................12 G4
Llanberis Road 12 F3
Llwyn Ceirios 12 G2
Llys Arfon*, Pendalar............12 F3
Llys Buddog*, Pendalar........12 F3
Llys Gwyn 12 G1
Llys Meirion 12 F2
Llys Orwig*, Pendalar 12 F3
Llys Siabod 12 F4
Llys Talar*, Pendalar............12 F3
Llys Tryfan 12 F4
Llys y Foel 12 F4
Llys y Garn 12 F5
Llys yr Eifl 12 F5
Lon Arfon 12 G4
Lon Bach...........................12 G3
Lon Cae Darbi....................12 H3
Lon Cae Ffynnon 12 H3
Lon Cae Sel.......................12 F3
Lon Cefn Du.......................12 G4
Lon Cilgwyn 12 G5
Lon Eilian 12 G4
Lon Helen 12 G4
Lon Hen Felin.....................12 H3
Lon Nant 12 G3
Lon Oleuwen 12 F5
Lon Parc/South Street 12 F4
Lon Twthill 12 E3
Lon Ty Gwyn......................12 G4
Lon Ty Newydd 12 H3
Lon y Bryn..........................12 G4
Lon y Felin/Mill Lane 12 E3
Lon Ysgubor Wen/
England Road South........12 F2
Love Lane..........................12 F4
Maes Cadnant....................12 F3
Maes Gwynedd...................12 G2
Maes Heulog......................12 G3
Maes Hyfryd.......................12 G2
Maes Meddyg.....................12 G5
Maes y Bwthyn*, Warfield Road12 F2
Maesincla..........................12 G3
Marcus Street 12 F4
Margaret Street/Stryd Marged...12 F4
Marine Terrace 12 G1
Market Street/Stryd y Farchnad 12 E3
Mary Street/Stryd Mari 12 F4
Moel Eilio 12 G5
Mount Pleasant *, West Twthill..12 F3
Muriau Park/Parc Muriau......12 F6
New Street/Stryd Newydd 12 F3
Newborough Street/Stryd Niwbwrch
......................................12 F3
North Road/Ffordd y Gogledd ...12 F2
Northgate Street/
Stryd Pedwara Chwech 12 E3
Palace Street/Stryd y Plas 12 E3
Pant Road 12 E6
Park, The 12 G6
Pen Morfa 12 F3
Pen y Bryn 12 F6
Pen y Garth 12 F2
Pen y Graig (4) 12 F3
Pendalar 12 F3
Pengelli Wyn 12 H2

Penllyn 12 E3
Penrallt Isaf/South Penrallt (5) ..12 F3
Penrallt Uchaf/North Penrallt.....12 E3
Pentre Newydd/Mountain Street
.... 12 F3
Penybryn Road.......................12 F6
Pepper Lane*, High Street 12 E3
Plas Maesincla........................12 G3
Plas Twthill/Twthill Square 12 F3
Pont Relwe/Station Bridge Road
....12 E3
Pool Hill 12 E3
Pool Lane*, Bridge Street.........12 E3
Pool Side*, Pool Street.............12 E3
Pool Street/Stryd y Llyn............12 E3
Pretoria Terrace/Rhes Pretoria .12 E3
Priestly Road/Lon Priestly 12 F2
Priory Terrace*, Balaclava Rd...12 E3
Promenade, The/Y Promenade 12 E3
Rhes Gwstenin/Constantine Terrace
....12 F4
Rhesdai Clarke (6) 12 F3
Rhesdai Hafod (7) 12 F3
Rhesdai Treffynnen/Holywell Ter. (8)
....12 F3
Rhosbodrual Terrace/
   Rhes Rhosbodrual...........12 H3
Rowland Street/Stryd Rowlant ..12 F2
Segontium Road South 12 F4
Segontium Terrace/Rhes Segontium
....12 E3
Seiont Mill Road 12 B5
Shirehall Street........................12 E3
Skinner Street/Lon Crwyn (9)....12 E3
Slate Quay/Cei Llechi...............12 E3
Snowdon Street/
   Stryd Capel Joppa (10) 12 F4
St. Davids Road/Lon Ddewi 12 F2
St. Helens Road 12 E4
St. Helens Street/Ffordd Santes Helen
....12 F4
Stryd y Degwn/Tithebarn Street 12 F4
Sydney Road/Lon Sydney 12 F2
Tan y Mur Flats*, Church St. 12 E3
Tanrallt 12 F3
Thomas Street/Stryd Tomas 12 F3
Turf Square 12 E3
Turkey Shore*, Glan y Mor........12 E3
Tyddyn Llwydyn 12 G5
Upper Glan y Mor.....................12 E3
Uxbridge Square/Sgwar Uxbridge
....12 F3
Vaynol Street/Stryd y Faenol...12 F4
Victoria Road/Ffordd Victoria ...12 F4
Victoria Street/Stryd Victoria ...12 E3
Vinegar Hill*, Balaclava Road ...12 E3
Warfield Road..........................12 F2
Waterloo Port...........................12 G1
Waterloo Port Road..................12 F1
Waterloo Street/Stryd Waterloo.12 F4
Wellington Terrace*, Segontium Ter.
....12 F4
Wesley Street*, New Street.......12 F3
West Twthill/Gorllewin Twthill...12 F3
William Street/Stryd William 12 F4
Y Clogwen 12 F3
Y Glyn.....................................12 F2
Y Maes/Castle Square 12 F2
Yr Hwylfa.................................12 F2

CEMAES
Atholl Square 29 D2
Atholl Street 29 D2
Atlantic Terrace........................29 C2

Beacon Estate..........................29 C1
Bridge Street/Stryd y Bont 29 D2
Cable House 29 D2
Cas Cloc 29 C3
Ffordd Caergybi/Holyhead Road
....29 C3
Ffordd y Felin 29 C3
Ffordd y Mor/Sea View Street...29 D2
Ffordd y Traeth/Beach Road.....29 C2
Ffordd y Wylan 29 C2
Glasgoed Road/Ffordd Glasgoed
....29 C2
Gongl y Rhedyn Estate 29 C3
Gwelfor Estate 29 D2/D3
Harbour View*, Bridge Street....29 D2
High Street 29 C3
Maes Cynfor 29 C2
Maes Padrig............................29 C2
Marine Terrace.........................29 D2
Penrhyn Castle 29 C2
Sea View Terrace 29 D2
Stad Castellor 29 D2
Tregof Terrace 29 C2
Tudor Royal 29 C2
Tyddyn Gyrfa 29 C3
Victoria Road 29 C2
Y Fron/Fron Estate...................29 C3

CONWY
Aberconwy Bypass...................13 A1
Albert Drive 13 D1
Allt y Coed...............................13 C4
Bangor Road............................13 A2
Beacons Way 13 A1
Benarth Road...........................13 C3
Berry Street.............................13 C2
Berth y Glyd 13 C3
Bron Idda.................................13 A6
Bron yr Afon 13 C4
Bryn Awel 13 A4
Bryn Benarth 13 C4
Bryn Castell 13 C4
Bryn Celyn..............................13 B3
Bryn Eithin...............................13 C4
Bryn Felin 13 B4
Bryn Hyfryd Park 13 B3
Bryn Hyfryd Terrace*,
   Sychnant Pass Road........13 C3
Bryn Seiri Road 13 B4/C5
Bryn Terrace 13 C4
Bryntirion Park 13 B5
Bull Cottages*, High Street 13 C3
Cadnant Park 13 B2
Castle Square 13 C3
Castle Street 13 C3
Chapel Street 13 C3
Church Street...........................13 C3
Cilfan 13 A4
Clifford Court*, Albert Drive.......13 D1
Conwy Road 13 D3
Crown Lane.............................13 C3
Customs House Terrace*,Castle St.
....13 C3
Cyffredin Cottages 13 A6
Dr. Garretts Drive.....................13 B1
Ellis Way 13 B1
Erskine Terrace........................13 C3
Gerddir Morfa 13 B2
Glan y Mor Road 13 D1
Glanrafon Terrace.....................13 D1
Gorlan 13 A3/B4
Gorsefield Road 13 A1
Groesffordd Cottages................13 A6
Gwynt y Mor............................13 A1

Haven Villas*, Chapel Street.....13 C3
Hendre Road............................13 A6
Henrhyd Road 13 A6
High Street 13 C3
Hillcrest Road...........................13 D1
Iolyn Park*, Llanwrst Road.......13 B6
Isgoed 13 B4
Jubilee Terrace*, St. Agnes Rd.13 B3
Lancaster Square......................13 C3
Llanwrst Road.....................13 B6/C3
Llewelyn Street 13 C3
Llwyn Isaf 13 C4
Llys Bodlondeb.........................13 B2
Llys Sychnant 13 A4
Lon Padog...............................13 B1
Lower Gate Street.....................13 C2
Lower High Street 13 C2
Madoc Terrace*, New Street.....13 B4
Maes Benarth 13 B4
Maes Gweryl 13 B4
Maes y Llan 13 B4
Marine Walk 13 C2
Meirion Drive 13 A1
Mill Hill 13 B4
Mona Road..............................13 A1
Morfa Drive..............................13 B1
Morfa View Terrace 13 B2
Morlais*, Beacons Way 13 A1
Mount Park 13 B3
Mount Pleasant (Conwy)..........13 C3
Mount Pleasant (Mt. Pleasant)..13 B3
Mountain Road.........................13 B2
Mulberry Close 13 B1
New Street 13 B4
Newborough Terrace (1)............13 C3
Old Road.................................13 B3
Overlea Avenue 13 D1
Parc Benarth 13 C4
Parc Sychnant 13 A3/A4
Park Road 13 D1
Pengarth 13 B4
Penmaen Crescent 13 A2
Penmaen Road 13 A1
Pentre Wech 13 C3
Pentywyn Road........................13 D1
Plas Newydd 13 D1
Pool Lane (2) 13 C3
Railway Terrace (3)...................13 C3
Railway View*, Rosemary Lane 13 C3
Rhos Cottages 13 B3
Rodfa Sychnant........................13 B3
Rose Hill Street 13 C3
Rosemary Lane 13 C3
Sea View Terrace (Conwy).......13 C3
Sea View Terrace (Llandudno Junc.)
....13 D1
St. Agnes Road 13 B4
St. Hilarys Drive 13 C3
Stephenson Close 13 B1
Sychnant Pass Road.................13 A3
Tan Benarth 13 C4
Tan y Felin 13 C3
Telford Close 13 B1
Town Ditch Road.......................13 B3
Ty Gwyn Gardens 13 B3
Ty Gwyrdd Terrace*, Chapel St.13 C3
Ty Mawr Road..........................13 D1
Upper Gate Street.....................13 C3
Victoria Terrace*, Rosemary Lane
....13 C3
Waen Terrace*, Bangor Road...13 B2
Warren Drive 13 D1
Warren Road............................13 D1

Watkin Street (4) 13 C3
Whinacres 13 B2
Wind Street 13 B3
Woodlands 13 C4
Y Angorfa 13 B1
Y Felin 13 C4
York Place (5) 13 C3

CORRIS
Arddol Terrace (1) 29 B5
Braich Goch Terrace 29 A5
Bridge Street 29 B5
Bron y Gan 29 A4
Bron y Gog*, Minffordd Street...29 B5
Bryn Edward 29 B5
Brynawel 29 A4
Bryntirion*, Bridge Street..........29 B5
Chapel Street 29 B5
Craig y Don 29 A4
Dolybont 29 B5
Frondeg 29 A4
Glandwr (2) 29 B5
Greenfield Terrace (3) 29 B5
Griandy...................................29 A4
Idris Street...............................29 A5
Isallt 29 B4
Llain yr Eglwys*, Bridge Street..29 B5
Maes y Llan 29 B5
Minffordd Street........................29 B5
Mount Pleasant 29 B4
Pant Celyn (4) 29 B5
Park Terrace (5) 29 B5
Pen Rhiw 29 A4
Pen Rhos 29 A4
Pen y Bont (6) 29 B5
Salem Cottages 29 A5
Tan yr Allt 29 B4
Troed y Rhiw (7).......................29 B5

CRICCIETH
Abereistedd Yard 22 E6
Antipodes Terrace 22 F4
Arfonia/Arvonia........................22 E4
Arvonia Terrace 22 F4
Bishops Row*, Lon Bach 22 F6
Bryntirion Terrace 22 F4
Cae Rhys 22 F5
Cambrian Terrace 22 F5
Castle Terrace 22 F6
Chapel Terrace 22 F5
Corporation Terrace 22 F5
Dinas Terrace 22 F6
Esplanade 22 G5
Ffordd Caernarfon/Caernarfon Road
....22 F4
Ffordd Castell/Castle Street 22 F6
Ffordd Porthmadog/Porthmadog Road
....22 G5
Ffordd Pwllheli/Pwllheli Road....22 E5
Glasfor Terrace 22 F5
Golf Road/Lon Ednyfed 22 E5
Gorseddfa 22 E5
Gwaun Ganol 22 E6
Heol Henbont/Henbont Road 22 F6
Holywell Terrace.......................22 F5
Llys Perlysiau 22 F5
Lon Bach 22 F6
Lon Dinas/Stanley Road............22 F5
Lon Ednyfed 22 F5
Lon Fel 22 E5/E6
Lon Felin 22 F5
Lon Geraint/Geraint Road.........22 G5
Lon Merllyn 22 G5
Lon Parc/Queens Road 22 F6
Lon Tyn Llan/Radcliffe Road 22 F5

Lower Moranned 22 H5
Maes Abereistedd/West Parade
..................................22 E6
Marine Crescent 22 F6
Marine Terrace 22 F6
Min y Mor...............................22 F6
Min y Traeth/Beach Bank 22 G5
Mona Terrace 22 F5
Muriau....................................22 E6
North Terrace 22 F4
Parciau Terrace 22 F5
Pen Aber 22 E6
Penpaled Road.......................22 F5
Railway Terrace*, Penpaled Road
..................................22 F5
Rhos Bach 22 E6/F6
Rock Terrace 22 F6
Rock Villas..............................22 F6
Salem Terrace 22 F5
Stryd Fawr/High Street 22 F5
Ty'n Rhos 22 E4
Ty'n y Grisiau Terrace 22 F5
Upper Morannedd 22 G5
Victoria Terrace 22 F4
Waen Helyg............................22 F5
Wellington Terrace 22 F5
Y Dref/Castle Square 22 F6
Y Maes 22 F5

DEINIOLEN

Back New Street 29 D5
Bro Deiniol 29 D5
Bro Helen 29 C5
Brynteg..................................29 C5
Chapel Houses 29 D5
Ffordd Deiniolen.....................29 D5
Gallt y Foel 29 D6
Gwyrfai Terrace 29 C5
Hafod Oleu 29 D5
Lon Bateri 29 D5
Lon Tai Castell 29 D5
Maes Gwylfa 29 C5
New Street/Stryd Newydd........29 D5
Pen yr Olchfa 29 C5
Pentre Helen 29 C5
Porth y Gogledd/North Road....29 D5
Rhes California 29 D5
Rhes Cynfi 29 D5
Rhes Fictoria/Victoria Terrace ..29 C4
Rhes Glyn/Glyn Terrace 29 D5
Rhes Lon Las/Green Terrace ...29 D5
Rhes Marian...........................29 D5
Rhiwen Cottages.....................29 C4
Rhydfadog...............................29 D5
Stad Macpela 29 C5
Stryd Fawr/High Street 29 D5
Tabernacle Street*, Stryd Fawr.29 D5
Tai Caledffrwd.........................29 C5
Tai Caradog/Caradoc Place......29 C5
Tai Dinorwig/Dinorwic Terrace..29 C6
Tai Gerddi*, Lon Bateri 29 D5
Tai Glandwr.............................29 C5
Tai Glynafon...........................29 C5
Tai Gweledfa/View Terrace.......29 D5
Tai Gwyrfai 29 C5
Tai'r Faenol/Vaynol Terrace......29 D5
Tan y Bryn 29 D6
Y Bwthyn 29 D5

DOLGELLAU

Aber Wnion (1)........................23 C2
Ardd Fawr 23 C1
Arran Road 23 C2
Arran Villas (2) 23 C2
Barmouth Road.......................23 A2

Bodlondeb 23 B3
Bont Fawr................................23 C2
Bridge End 23 C2
Bryn Teg 23 B3
Bryntirion 23 B3
Bwthyn 23 B3
Cae Deintir 23 B1
Cae Idris.................................23 C3
Cae Tanws Bach......................23 C2
Cambrian Terrace (3) 23 C2
Coed y Fronallt.......................23 C1
Dol Aran 23 C2
Doldir......................................23 C2
Dolwyn Terrace 23 B2
Eldon Row (4) 23 B2
Eldon Square 23 B2
English Terrace (5) 23 C2
Felin Isaf/Smithfield Square 23 C2
Felin Uchaf.............................23 C3
Ffordd Bala/Bala Road.............23 C2
Ffordd Bodlondeb....................23 B3
Ffordd Cader/Cader Road.........23 B2
Ffordd Heulog 23 C2
Ffordd Pen y Cefn/Pen y Cefn Road
..................................23 B1
Ffordd Tywyn 23 A2
Ffordd y Felin 23 C2
Ffordd y Marion/Marion Road ...23 B2
Ffos y Felin/Smithfield Street ...23 C2
Fron Heulog Cottages*, Pont yr Arran
..................................23 C2
Fron Heulog Terrace (6) 23 C2
Fron Serth 23 C2
Fron Wnion 23 A2
Frondirion 23 B1
Glanarran Cottages 23 B3
Glynafon Terrace 23 C2
Gwern Ceirios (7) 23 C3
Gwern Eithin*, Wern Las..........23 C3
Gwern Fedw 23 C3
Gwern Griafol 23 C3
Gwern Helyg (8) 23 C3
Gwern Lafant 23 C3
Gwern y Grug..........................23 C3
Gwern Ysgaw (9) 23 C3
Hen Felin/Sarn Road 23 C3
Henfaes..................................23 B2
Heol Feurig/Meyrick Street 23 C2
Heol Glyndwr/Glyndwr Street....23 C2
Heol Plas Uchaf/Springfield Street
..................................23 B2
Heol y Bont/Bridge Street........23 B2
Heol y Capel 23 B2
Heol y Dwr (10) 23 C2
Idris Terrace 23 B2
Industrial Road 23 B2
Ivy Court*, Y Lawnt 23 B2
Lion Street..............................23 B2
Lion Yard (11) 23 B2
Llys Owain/Queens Square (12)
..................................23 B2
Lon Bopty/Baker Street 23 B2
Lon Las/Green Lane (13) 23 B2
Love Lane/Tylau Mair...............23 B3
Maes Caled 23 A2
Maes y Felin (14) 23 C2
Maes y Pandy/South Street 23 C3
Maes yr Odyn 23 B2
Maesbrith 23 C3
Maldwyn House........................23 B2
Minafon (15) 23 C2
Moelfryn Terrace (16) 23 B3
Mount Pleasant View 23 B3

Nant y Gader...........................23 A3
Pandy'r Odyn...........................23 A2
Park Lane*, Ffordd Cader 23 B2
Park Row*, Ffordd Cader 23 B2
Pen Bryn Bella........................23 B3
Pen Caeau*, Wern Las 23 C3
Pen Cefn.................................23 A1
Pen y Banc*, Ffordd Bodlondeb
..................................23 B3
Penbryn Bella..........................23 B3
Penbrynglas 23 C2
Penlan Cottages (17) 23 C2
Plas Brith Lane*, Y Lawnt 23 B2
Plas y Brithdir 23 D3
Plasyndre Street (18)...............23 C2
Pont yr Arran 23 C2
Porth Canol/Finsbury Square ...23 B2
Queens Row*, Ffos y Felin 23 C2
Railway Terrace*, Cae Tanws Bach
..................................23 B2
Sarn Road 23 C3
Stryd Fawr (19) 23 B2
Tal y Bont 23 A2
Talrafon Buildings (20).............23 C2
Tyn y Cae*, Maes y Pandy 23 C3
Unicorn Lane (21)....................23 C2
Upperfield Street*, Bryn Teg 23 B3
Uwch y Maes 23 D3
Waterloo Street 23 B3
Well Street...............................23 B2
Wenallt 23 C3
Wern Las/Hospital Drive 23 C3
Wesley Place 23 C3
Wesley Terrace*, Maes y Pandy
..................................23 C3
Wnion Square*, Ffos y Felin 23 C2
Wtra'r Felin (22) 23 C2
Y Berllan 23 C3
Y Domen Fawr/Meyrick Square 23 C3
Y Glannant*, Fronallt...............23 C1
Y Lawnt/Lombard Street 23 B2

DYFFRYN (VALLEY)

Boston Terrace 30 F3
Britannia Terrace 30 F3
Bryn Afon................................30 F1
Bryn Moryd 30 F1
Brynheulog 30 F2
Carna Terrace 30 F3
Church Drive 30 F3
Cleifiog Terrace 30 E3
Ffordd Caergybi/Holyhead Road
..................................30 E2
Ffordd Llewelyn 30 F2
Ffordd Pendyffryn 30 F2
Field Street 30 F3
Garth y Felin 30 F2
Glantraeth 30 F1
Gorad Road..........................30 F1/F2
Gorwelion 30 E1
Greystone Estate.....................30 F3
Gwenallt 30 F3
Hen Valley 30 E2
Llys Howell 30 F3
Lon Gardener 30 E2
Lon Spencer 30 E3
Lon Traeth 30 F1
London Road 30 F3
Maes Alaw..............................30 E1
Manning Drive 30 F2
Marian Terrace 30 E3
Newlands Park/Parc Newlands.30 F1
Parc Branwen 30 F1
Penrodyn..................30 E1/F1

Railway Cottages 30 F3
Rhodfa Shorney 30 F2
Sibrwd y Coed 30 F2
Stanley Avenue 30 F3
Station Road 30 E3/F2
Tai'r Felin 30 F3
Tan y Bryn 30 F3

HARLECH

Ben yr Hwlfa 14 G1
Bron y Graig............................14 G3
Bronfair 14 F6
Bronwen Terrace 14 F3
Bryn Meillion 14 F3
Cae Garw 14 E5
Cae Gwasted 14 F1
Derlwyn 14 F6
Ffordd Glan Mor/Beach Road ..14 E1
Ffordd Gwlam Bach..................14 F1
Ffordd Isaf 14 F3
Ffordd Morfa 14 G2
Ffordd Newydd 14 F4
Ffordd Pen Llech 14 G2
Ffordd Ty Canol 14 F1
Ffordd Uchaf 14 G3
Ffordd Uwchglan 14 F6
Frondeg 14 E5
Glan Gors 14 F1
Grogan Terrace 14 G3
Haulfryn 14 F5
Heol y Bryn 14 G4
Hwylfar Nant 14 G2
Llwyn y Gadair.........................14 F6
Pant yr Onnen 14 F5
Parc Bron y Graig 14 G2
Pen Dref 14 G2
Pen y Bryn 14 G2
Pen y Graig 14 G3
Porkington Terrace 14 G2
Rock Terrace 14 G3
Stryd Fawr/High Street 14 G3
Tan Rhiw 14 F6
Tryfar 14 G2
Twtil 14 G2
Ty Santoy*, Ffordd Morfa.........14 G1
Y Waun 14 G1
Ystad Castell 14 F2

HOLYHEAD (CAERGYBI)

Alderley Terrace.......................7 C3
Armenia Street 7 D2
Armenia Terrace 7 D2
Arthur Street...........................7 D5
Arthur Street East....................8 E5
Baptist Cottages (1) 7 D3
Baptist Street 7 D3
Beach Close 8 F3
Beach Road 7 C1
Black Bridge 8 E3
Bodlondeb Terrace (2) 7 D4
Boston Street 7 D2
Boston Terrace 8 E5
Breakwater View 8 E2
Brighton Terrace 7 B3
British Terrace (3) 7 D3
Bro Dawel 8 H2
Bro'r Ysgol 8 H2
Bron y Graig............................8 H2
Bryn (4) 7 D3
Bryn Erw Road 8 E5
Bryn Glas Close 8 E4
Bryn Glas Court.......................8 F3
Bryn Glas Road 8 F4
Bryn Gwyn Road 7 C4

Bryn Marchog...............................7 C2
Bryn Mor Terrace.......................7 D2
Brynglas......................................8 H5
Bryngoleu Avenue.....................7 D2
Bryngoleu Avenue North (5) 7 D2
Bungalows, The*, Kings Road 7 D4
Bwlch Alltran...............................8 E3
Cae Braenar 8 F4
Cae Capel 8 E5
Cae Gwyn 7 D5
Cae Penrallt 7 A5
Cae Rhos 7 D5
Caer Mynydd 7 A2
Cambria Street...........................7 D3
Cecil Street.................................8 E4
Chapel Edge 7 B6
Chapel Street/Stryd y Capel 8 H2
Church Street/Stryd yr Eglwys ...8 H2
Church Terrace 7 D4
Cil Peibio 8 F3
Cleveland Avenue 7 D4
Cleveland Crescent....................7 D4
Clifton Terrace 8 E5
Cross Street 7 D2
Cweryd Cottages........................8 E6
Cweryd Villas 8 E6
Cybi Close 8 E3
Cybi Place 7 D2
Cyttir Road 8 E5
Delfryn Bach...............................7 B4
Delwyn Flats (6) 7 D3
Devonald Street 7 D2
Digney Close 8 F4
Ebenezer Villas*, Kingsland Rd. .8 E5
Edmund Street 7 D3
Eithinog 7 B3
Fair View 8 E4
Fford Beibio 8 E3
Ffordd Fer 7 D3
Ffordd Feurig..............................8 F4
Ffordd Hen Ysgol/Old School Road
....7 A3
Ffordd Hirnos.............................8 F4
Ffordd Jasper 8 F4
Ffordd Tan y Bryn/Tan y Bryn Road
....7 C2
Ffordd Tudor 8 E3
Ffordd Wynfa 7 D3
Field Street.................................7 C3
Forcer Hill (7) 7 D4
Forge Hill 8 E2
Fron Terrace 7 A2
Garden Lane 8 H2
Garden Place 8 E4
Garreg Domas 7 D3
Garreglwyd Home.......................7 C3
Garreglwyd Park.........................7 C3
Garreglwyd Road........................7 C3
Garth Road 7 C2
General Rees Bungalows (8) 7 D3
George Street 7 D2
Gilbert Street 8 E4
Glan y Mor..................................7 B6
Godra'r Twr 7 B3
Golf Bungalows 7 A4
Gors Avenue 7 B3
Greenfield Terrace 8 E4
Gwel y Mynydd 7 C3
Gwelfor Avenue 7 C2
Gwynfa Hill 7 D3
Gwynfa Lane (9) 7 D3
Gwynfryn Flats 7 D5
Harbour View 8 E4

Hawthorn Terrace (10)...............7 D4
Henddu Terrace 7 D5
Henry Street 8 E4
Herbert Street (11) 7 D4
Hibernia Row...............................7 D4
Hibernia Terrace*, Marine Sq.....8 E2
High Terrace 7 D4
Hill Street 7 D3
Hirfron 7 A3
Holborn Place (12) 7 D4
Holborn Road 7 D4
Hunters Chase 7 A4
Isallt Park 7 A6
Keffi Street 7 D4
Kings Road 7 D4
Kingsland Road 7 D4/8 E6
Leonard Street 7 D4
Lewascote 8 F4
Lhassa Street (13) 7 D4
Llain Bryniau 8 E5
Llain Delyn 8 E5
Llainfain 7 B2
Llaingoch 7 B3
Llanfawr Close 8 E4
Llanfawr Road 8 E4
Lligwy Street 8 E4
Llwyn Brisco 7 D2
Llys Mair 7 C3
Llys Watling 8 E4
Llys yr Engan 8 H2
Lon Cae Serri 7 B3
Lon Carreg Fawr 7 A4
Lon Deg 8 F4
Lon Isallt 7 A6
Lon Newydd 7 B2
Lon St. Ffraid..............................7 A4
Lon Towyn Capel 7 B5
Lon Trefignath 8 F6
Lon y Clogwen 7 A5
London Road...............................8 E4
London Road/Ffordd Llundain
(Bodedern) 8 H2
Longford Road 7 D3
Longford Terrace 7 D3
Lower Park Street 7 D2
Maes Coron 8 H2
Maes Cybi 7 C3
Maes Cyttir 8 E5
Maes Edeyrn 8 H2
Maes Gwynfa 8 H2
Maes Hedd 7 D2
Maes Meilw 7 C4
Maes y Brenin 7 D4
Maes y Delyn 8 E5
Maes y Dref 7 D2
Maes y Felin 7 C3
Maes y Mor 7 D2
Maes y Mynydd 7 A3
Maes yr Haf 7 D2
Maes yr Ysgol 8 E4
Maeshyfryd Bungalows*,
Maeshyfryd Road 7 D4
Maeshyfryd Road........................7 D4
Marchog 8 E4
Marine Square 8 E2
Market Buildings*, Stanley Cres. 7 D2
Market Hill*, Summer Hill 7 D3
Market Square 7 D3
Market Street 7 D3
Mill Bank 7 C3
Mill Road 7 C6
Millbank Terrace 7 C3
Min y Mor 7 C2

Morawelon Close 8 E3
Morawelon Road 8 E4
Moreton Road 7 D4
Morrison Crescent 8 E4
Mount Pleasant 7 D3
Mountain View 7 D5
Nant y Felin 7 D5
New Park Road 7 C3
Newry Fawr 7 D2
Newry Fields 7 D2
Newry Street 7 D2
Nimrod Walk 8 F4
North West Street 8 E2
Old Post Road*, Kingsland Rd....7 D4
Old Station Road.........................7 D4
Parc Felin Dwr 7 B2
Park Street 7 D2
Parkfield House 7 D5
Pen Gerddi 7 C4
Pen Llech Nest 8 E5
Pen y Bryn 7 C2
Penrallt Road 7 A5
Penrhos Beach Road 8 F5
Penrhos Lodges 8 H5
Penrhos View 8 E5
Penrhyn Geiriol 7 A4
Pentre Pella................................7 A2
Pentrefelin 7 B2
Penucheldre...............................7 C4
Picinhirnos Lane 8 E4
Plas Bryngwyn*, Plas Road 7 C4
Plas Hyfryd Mews*, Plas Road ...7 C4
Plas Main 8 H2
Plas Road 7 C4
Plashyfryd Crescent 7 D4
Plashyfryd Terrace 7 D4
Ponthwa Lane 7 B3
Ponthwfa Terrace 7 B3
Porth Darfach.............................7 C6
Porth y Felin Road/
Ffordd Porth y Felin 7 C2
Porthdafarch Road/
Ffordd Porthdafarch 7 C5
Prince of Wales Road 7 D2
Priory Close................................8 E4
Priory Lane 8 E4
Promenade 7 D2
Pump Street 7 C4
Queens Park 7 D2
Queens Park Close 7 D2
Queens Park Court (14) 7 D2
Rallt Newydd 8 F5
Ravenspoint Road.......................7 B6
Rhos y Gaer Terrace*, Victoria Road
....7 D4
Rhos y Gaer Avenue 7 D4
Rhoslan 7 D3
Richmond Hill 8 E4
Rise, The 7 A5
Roberts Street 7 D3
Rock Street 7 C3
Roland Street 7 D4
Salt Island Cottages 8 E2
Seabourne Road 7 C2
Seiriol Street 7 C3
Service Cottages.........................8 H5
Snowdon View Road 7 A4
South Stack Road 7 A3
Spencer Terrace*, Moreton Rd. ..7 D4
St. Cybi Street 7 D2
St. Davids Road 7 D2
St. Elbods Court*, Rhos y Gaer Av.
....7 D4

St. Seiriols Close........................7 D2
Stanley Cottages*, Tyn Pwll Rd. .8 E5
Stanley Crescent 7 D2
Stanley Row 8 E2
Stanley Street 7 D3
Stanley Terrace 7 D2
Station Street 7 D3
Stryd Batus 8 H2
Summer Hill 7 D3
Sunnyside Apartments*, Longford Rd.
....7 D3
Sunrise Terrace 7 B3
Swift Square 7 D3
Tan Alltran Close*, Llanfawr Rd. .8 E3
Tan Lan (15) 7 D2
Tan yr Allt 8 E5
Tan yr Efail 7 D4
Tanalltran Cottages*, Black Bridge
....8 E3
Tara Street 7 D4
Thomas Street 7 D3
Tower Gardens 7 D3
Townrow House (16)....................7 D3
Traeth Atsain*, Lon Isallt 7 A5
Tre Ambrose 7 A3
Trearddur Court..........................7 B5
Trearddur Mews 7 B4
Trearddur Road...........................7 B3
Trearddur Square........................7 D3
Trefonnen 7 B3
Trehwfa Crescent 7 B3
Trehwfa Road..............................7 B3
Treseifion Estate 7 D5
Treseifion Road...........................7 D5
Turkey Shore Estate 8 E3
Turkey Shore Road 8 E3
Ty Mawr 8 E3
Ty'n Ffordd 8 H2
Ty'n Parc*, Vulcan Street............7 C3
Tyn Pwll Road 8 E5
Ucheldre Avenue 7 D3
Upper Baptist Street...................7 D3
Upper Park Street 7 D2
Vicarage Lane 7 D2
Victoria Road 7 D4
Victoria Terrace 7 D3
Vulcan Street 7 C3
Waen Fawr 7 B3
Waen Fawr Estate 7 B2
Walthew Avenue 7 C2
Walthew Lane 7 C2
Water Street 7 D2
Waterside 7 D2
Wellington Court 7 B5
Wesley Street.............................8 H2
Wesley Terrace 7 D2
Wian Street 8 E4
Williams Street 7 D3
Windsor Villas 8 E4
Y Gerddi 8 H2
Y Gilfach*, Llanfawr Close 8 E4
Y Gors 7 B3
Yr Erw 8 F5
Yr Ogof 7 D5

LLANBEDROG

Bron Dirion 23 B6
Brookside Mews 23 B5
Cae Dwr 23 C5
Cae Hendy 23 B5
Cae'r Efail 23 B5
Cysog y Bryn 23 A4
Ffordd Pedrog/Pig Street 23 A5
Ffordd y Glyn 23 C6

Ffordd y Traeth/Beach Road.....23 C5
Ger Afon................................23 B5
Glyn y Marian.......................23 C5
Glyn y Mor............................23 C5
Glynweddw Estate 23 C6
Lon Bribwll............................23 B5
Lon Crugan.........................23 C5
Lon Nant Iago 23 C6
Lon Pen y Bryn.....................23 A5
Lon Pin................................23 A4
Madryn Terrace....................23 A5
Pen y Graig..........................23 B5
Penarwel.............................23 C4
Ty'n Pwll.............................23 A4

LLANBERIS
Blaen y Ddol........................24 F2
Bryn Goleu*, Stryd Ianci.........24 E1
Bryn Hyfryd*, Ty Du Road.......24 E1
Bryn Teg..............................24 F1
Capel Coch Road..................24 E2
Charlotte Street/Stryd Siarlot...24 F1
Church Road 24 F2
Coed y Ddol.........................24 F2
Coed y Glyn 24 E1
Dinorwic Cottages...............24 H1
Dol Eilian 24 F2
Dol Elidir..............................24 F3
Ffordd Clegir 24 E1
Fron Deg 24 E1
Fron Goch 24 E1/F1
Glanrafon 24 E2
Llainwen Isaf 24 E1
Llainwen Uchaf 24 E1
Llwyn Dyrus.........................24 E1
Lon Graig/Rock Terrace...........24 E1
Maes Derlwyn.......................24 F3
Maes Padarn........................24 F5
Mur Cwymp..........................24 E1
Mur Mawr 24 E3
Newton Street/Stryd Newton...24 E1
Padarn Road 24 F2
Park Lane 24 F1
Pentre Castell 24 G2
Plas Pen Gwaith 24 F2
Preswylfa.............................24 E2
Rallt Goch 24 E1
Rallt Goch Ceunant...............24 E2
Rhes Cambrian/Cambrian Terrace
............................24 E1
Rhes Efrog/York Terrace........24 F3
Rhes Eilian/Eilian Terrace 24 E1
Rhes Fictoria/Victoria Terrace...24 F3
Rhes Minafon/Minafon Terrace .24 F2
Rhes Olgra/Olgra Terrace........24 E1
Rhes y Faenol/Vaynol Cottages
............................24 F3
Station Road............24 F2
Stryd Bethesda/Bethesda Street
............................24 E1
Stryd Ceunant/Ceunant Street..24 E2
Stryd Fawr/High Street.....24 E1/F1
Stryd Goodman/Goodman Street
............................24 E1
Stryd Henri/Henry Street 24 E1
Stryd Ianci/Yankee Street 24 E1
Stryd Tomas/Thomas Street 24 E1
Stryd Tyrner/Turner Street 24 E1
Stryd Warden/Warden Street 24 E1
Stryd y Dwr/Water Street 24 E1
Stryd y Farchnad/Market Street
............................24 F1
Stryd y Wyddfa/Snowdon Street
............................24 E1

Ty Du Road 24 E1
Waterfall View 24 F3
Well Street/Stryd y Ffynnon 24 E1

LLANDEGFAN
Beaumaris Road/Ffordd Beaumaris
............................30 H3
Bro Llewelyn 30 G2
Bron Haul.............................30 G3
Bron y Felin..........................30 H3
Bryn Awel.............................30 G2
Bryniau Duon 30 H1
Brynteg 30 G3
Cae Ffynnon 30 H1
Caer Gelach 30 H2
Carreg Felin/Mill Lodge..........30 G2
Cefn Du Cottages 30 G1
Fron Deg..............................30 G3
Gerddi 30 H3
Glan Felin 30 G3
Glyn Garth Court...................30 H3
Gwel Eryri/Mill Bank Estate.....30 H2
Hafod Lon 30 H3
Lon Bryn Teg/Bryn Teg Lane...30 H3
Lon Ganol 30 G3
Lon Ty Mawr/Ty Mawr Lane ...30 G3
Maes Ffynnon 30 G3
Pencae................................30 G3
Tegfan Terrace 30 H1
Tremarfon 30 G2
Ty Mawr...............................30 G3

LLANFAIRFECHAN
Aber Road 24 E6
Alma Terrace (1)....................24 G6
Argoed Flats (2)....................24 F6
Bethel Close*, Village Road 24 F5
Bron Afon (3) 24 G6
Bron Cae (4) 24 G6
Bron Pant (5) 24 G6
Bryn Arfon (6) 24 G6
Bryn Castell (7).....................24 F6
Bryn Coed Terrace 24 G6
Bron Deiniol (8) 24 G6
Bryn Euryn (9).......................24 G6
Bryn Haul (10).......................24 G5
Bryn Hyfryd 24 H6
Bryn Mair 24 G6
Bryn Rhedyn.........................24 F6
Bryn Road 24 G6
Bryn Teg (11) 24 F6
Brynmor Terrace (12)..............24 F6
Buckley Terrace (13) 24 G6
Cae America.........................24 G6
Caeffynnon Road 24 F6
Caradog Place......................24 F4
Church Cottages (14)..............24 F5
Close, The 24 G5
Douglas House 24 F5
Ffordd Dinas 24 G6
Fron Crescent 24 G6
Fron Park Avenue 24 F5
Garthwen..............................24 F5
Glan Rhyd (15) 24 G6
Glan yr Afon Road 24 H6
Glanmor Road 24 F4
Glyndwr Terrace (16)..............24 G6
Gorwel 24 G5
Greenfield Terrace (17)...........24 F6
Gwynfryn...............................24 G6
Lewis Terrace (18)..................24 F6
Llanerch Road.......................24 F6
Llwyn Gwgan.........................24 F6
Llwyn y Gog..........................24 F6
Llwyn Ysgaw (19) 24 G6

Maes Dolfor..........................24 F5
Maes Helyg (20) 24 G6
Maes y Glyn 24 F5
Menai Bank*, Station Road 24 F5
Menai Terrace (21) 24 G6
Mill Road..............................24 G6
Minafon (22).........................24 G6
Mona Terrace*, Pendalar 24 F5
Mona View (23) 24 F5
Mount Pleasant*, Penybryn 24 F6
Mount Road 24 G6
Nant y Berllan 24 G6
Nant y Felin Road 24 G6
Nantyfelin Terrace (24) 24 G6
New Terrace 24 G6
Newry Drive 24 H6
Parc Henblas 24 F5
Parc Menai 24 F5
Park Crescent 24 F5
Park Isaf 24 F5
Park Nant Road 24 G6
Park Road 24 F5
Pen Dalar 24 H4
Pendref (25) 24 G5
Penlan.................................24 G6
Penmaen Park 24 G1
Penmaenmawr Road.........24 F5/G4
Pentre Uchaf 24 F6
Penybryn 24 F6
Penybryn Road 24 F6
Penyrardd Terrace (26) 24 G6
Plas Gwyn (27)......................24 F5
Plas Gwyn Road 24 F5
Plas Uchaf*, The Close...........24 G5
Plas y Bach (28) 24 G6
Pool Street 24 G6
Promenade 24 F4
Queens Court (29)..................24 F5
Shore Road 24 F4
Shore Road East 24 G4
South Street 24 G4
St. Brendas 24 G4
St. Winifreds Close 24 G5
Station Road.........................24 F5
Terrace Walk 24 G6
Tyddyn Drycin.......................24 G4
Upper Mill Road 24 G6
Valley Road 24 G6
Village Road 24 F5
Virginia Terrace (30) 24 G6
Wern Las 24 G6
West Shore...........................24 F5

LLANFAIR PWLLGWYNGYLL.
Aber Baint 25 B3
Alma Terrace 25 B2
Ardwyn*, Ffordd Hen Ysgol 25 C2
Arfryn*, Lon Foel Graig 25 C2
Britannia Terrace 25 B2
Bryn Bras 25 C2
Bryn Bras Terrace*, Lon Dryll ...25 C2
Bryn Goleu (1).......................25 C2
Bryn Salem...........................25 A2
Bryn Teg 25 C1
Brynsiencyn Road 25 B3
Bryntirion 25 C2
Cae Cnyciog.........................25 B1
Carreg y Gad 25 B1
Cil y Graig 25 C2
Collen Wen 25 B1
Craig y Mor*, Ff. Hen Ysgol 25 C2
Crossing Terrace....................25 B2
Crud y Graig*, Ff. Hen Ysgol 25 C2

Fairview Terrace 25 B2
Ffordd Angharad 25 B2
Ffordd Caergybi/Holyhead Road
............................25 A2/C2
Ffordd Gwenllian 25 B2
Ffordd Hen Ysgol 25 C2
Ffordd Penmynydd 25 B1/B2
Ffordd Rhiannon 25 B2
Ffordd Teifion 25 C1
Fron Deg 25 B1
Fron Heulog (2) 25 C2
Glan Llyn 25 A2
Godre'r Graig*, Ffordd Hen Ysgol
............................25 C2
Gorwel*, Ffordd Hen Ysgol 25 C2
Gwilym Terrace 25 B2
Llannor*, Ffordd Hen Ysgol......25 C2
Llwyn 25 B3
Llwyn Edwen 25 A3
Lon Dryll 25 C1
Lon Dyfnia 25 C1
Lon Foel Graig 25 C2
Lon Graig 25 C2
Lon Hedydd 25 C2
Lon Pant..............................25 C2
Lon Pwllfandol 25 B3
Lon Refail 25 C1/D2
Lon Ty Croes 25 B2
Lon y Wennol 25 C1
Lon y Wylan 25 C1
Maenafon*, Ffordd Penymynydd
............................25 B1
Maes Hyfryd 25 B2
Maes y Don 25 B2
Maes y Waen 25 B2
Minffrwd*, Ffordd Penymynydd .25 B2
Pant Lodge 25 D2
Parc Twr 25 C2
Pen Parc*, Lon Graig 25 C2
Pen y Berth 25 C1
Pen y Geulan*, Ffordd Hen Ysgol
............................25 C2
Pengorwelion*, Ffordd Hen Ysgol
............................25 C2
Penucheldre 25 B2
Plas Garnedd 25 B1
Plas Mona 25 B1
Plas Villas 25 C3
Pool Street 25 B2
Rhos y Gad 25 B2
School House*, Ff. Hen Ysgol ..25 C2
Siglan Terrace*, Ffordd Penymynydd
............................25 B1
Snowdon View 25 B2
Stad Foel Graig 25 C2
Station Road.........................25 C2
Tai Lon 25 C2
Tan Rallt (3) 25 C2
Tan y Graig*, Lon Ty Croes 25 B2
Tan yr Onnen*, Lon Graig........25 B2
Trem Eryri*, Lon Ty Croes 25 B2
Ty'n Lon...............................25 B3
Tyddyn Ddeici.......................25 C2
Tyddyn Pwyth 25 A3
Tyn Caeau............................25 B2
Tyn Rhos 25 B2
Williams Terrace 25 B2
Y Garnedd 25 B2
Y Gwyngyll*, Lon Ty Groes 25 B2
Y Wern 25 C1

LLANGEFNI

Alma Terrace............................25 B4
Brig y Nant 25 A4
Bro Ednyfed 25 C4
Bro Smyrna 25 B5
Bro Tudor 25 D4/D5
Bron Dinas 25 D5
Bron y Graig 25 C4
Bryn Coed 25 C4
Bryn Meurig 25 A4
Bryn Pandy...............................25 A4
Bryn y Maen 25 C5
Caer Llec 25 B6
Capel Uchaf 25 C5
Chapel Street 25 C5
Coleg Menai Cottages 25 D5
Cwr y Coed 25 A4
Dol Werdd/Greenfield Avenue ..25 D5
Felin Graig 25 D5
Ffordd Bron y Felin 25 C4
Ffordd Cildwrn/Cildwrn Road 25 A4
Fforld Clai/Clai Road................25 C4
Ffordd Cornhir 25 A4
Fforld Dolafon 25 C4
Fforld Efail 25 B5
Fforld Glandwr 25 B5
Fforld Hwfa 25 B5
Fforld Llifon 25 C4
Fforld Maeshyfryd 25 C4
Fforld Nant 25 B5
Fforld Penlan...........................25 B5
Foundry Terrace/Yr Ardd Wair ..25 B5
Ger y Graig 25 C5
Ger y Winllan 25 D5
Glancefni Flats/Fflatiau Glancefni
....25 B5
Graig Las...................................25 A4
High Street/Stryd Fawr 25 B5
Industrial Estate Road/
Ffordd Diwydiannol...........25 C5
Isgraig 25 C5
Llawr y Dref 25 B5
Lon Ceunant.............................25 B6
Lon Fron/Fron Road 25 B6
Lon Glanhwfa/Glanhwfa Road ...25 B6
Lon Las/Church Terrace 25 C4
Lon Newydd/New Road 25 C5
Lon Penmynydd/Penmynydd Road
....25 D5
Lon Talwrn/Talwrn Road 25 D5
Lon Tudor..................................25 D5
Lon y Felin/Mill Street 25 C5
Maes Bulkeley/Bulkeley Square
....25 C5
Maes Derwydd 25 A4
Maes y Garreg 25 A4
Nant y Pandy............................25 A4
Pen Derwydd.............................25 A4
Pen yr Orsedd 25 C6
Pencraig...................................25 D5
Pencraig Mansions 25 D5
Pennant 25 A4
Penrallt 25 B5
Perth y Paen 25 A4
Plas Tudor 25 D4
Ponc y Fron 25 B5
Rhesda Caradog/ Caradog Terrace
....25 B5
Rhos Llwyn...............................25 B5
Stryd y Bont/Bridge Street 25 C5
Stryd y Cae/Field Street 25 B5
Stryd yr Eglwys/Church Street ..25 B4
Swn yr Afon 25 C4

Tai Dinas...............................25 C5
Tan Capel 25 C5
Trem y Coed/Dingle View 25 B5
Ty Hen 25 A5
Ty'n Coed...............................25 C4
Ty'n Coed Uchaf 25 C4
Ucheldre................................25 D5

LLANRUG
& CWM-Y-GLO

Afon Rhos..............................26 F1
Allt Goch 26 H3
Bro Rhyddallt 26 G1
Bryn Crwn 26 H3
Bryn Difyr 26 H3
Bryn Moelyn 26 E1
Cae Newydd 26 F2
Cefn Elan 26 E1
Corlan yr Rhos 26 E1
Craig y Dinas 26 H1
Didfa 26 E1
Dol Afon 26 G2
Fforld Bryngwyn 26 F2
Fforld Crawia 26 E1
Fforld Glanffynnon 26 E1
Fforld Glanmoelyn...................26 E1
Fforld Llanberis/Llanberis Road
....26 E1
Fforld Minffordd 26 E1
Fforld Orsaf/Station Road 26 E1
Fron Heulog Terrace 26 H3
Glan Moelyn 26 E1
Glanffynnon............................26 E1
Glyndwr Terrace 26 H3
Groeslon Terrace 26 H3
Gwel Ffynydd 26 E1
Hafan Elan 26 E1
Heol Moelyn 26 E1
Llaingro Terrace 26 F1
Lon Bwlch 26 H3
Lon Groes...............................26 E1
Madog Terrace 26 H1
Maes Gerddi 26 F3
Minffordd 26 E2
Nant y Glyn 26 F1
Pool Street 26 H5
Rhos Rug 26 F1
Stryd Newydd 26 H3
Tai Arfon/Arfon Terrace...........26 E1
Tai Bryn Coch/Bryn Coch Terrace
....26 F1
Tai Bryn Hyfryd 26 H3
Tai Bryngwyn 26 F2
Tai Craig y Don 26 H3
Tai Disgwylfa/Disgwylfa Terrace
....26 F1
Tai Hermon/Hermon Terrace 26 E1
Tai Minffordd/Minffordd Terrace 26 E2
Tai Plastirion/Plastirion Terrace 26 E1
Tai Rhyddallt/Rhyddallt Terrace 26 G1
Tai Tan y Coed 26 F3
Tal y Bont 26 F1
Tan y Bryn 26 H3
Trefor Terrace 26 E3
Uwch Law'r Ffynnon................26 H3

LLANYSTUMDWY

Aberkin Cottages....................30 E6
Bodawen 30 F6
Brondwyfor 30 F6
Cae Llwyd...............................30 F5
Cae'r Ffynnon 30 F5
Llanystumdwy Bypass.............30 E6
Maen y Wern 30 F5

Min Afon................................30 E5
Penrallt Estate 30 E5
Tainewyddiion 30 F5
Talafon 30 F5

MACHYNLLETH

Bank Lane...............................26 F5
Bank Street.............................26 F5
Bodlondeb Lane 26 F5
Brickfield Street 26 F5
Bryn y Gog 26 G4
Cae Crwn 26 G5
Cae Gybi Cottages..................26 E6
Cae Gybi Path 26 E6
Cae Gybi Road........................26 E6
Cae Maen Llwyd....................26 G5
Craig Fryn 26 H5
Dolanog Villas (1) 26 F5
Fforld Mynydd Griffiths 26 F4
Forge Road..............................26 G5
Gallt y Gog 26 G4
Garden Village 26 G5
Garsiwn 26 F5
Garth Road 26 G5
Gasworks Lane 26 E5
Graig Fach (2) 26 F5
Graig Villas (3)........................26 F5
Greenfields 26 F5
Gruthyn, The 26 F5
Heol Iorwerth 26 F5
Heol Maengwyn/Maengwyn Street
....26 F5
Heol Penrallt...........................26 F5
Heol Pentrerhedyn/Aberystwyth Road
....26 E6
Heol Powys 26 F5
Heol y Doll 26 F4
Lledfair Place 26 F5
Llys Glyndwr*, New Street.......26 F5
Llys Maldwyn*, Heol y Doll 26 F5
Llys Tudor 26 G5
Llys yr Efail 26 G5
Lon Llynlloed 26 F5
Londonderry Terrace 26 F5
Maes Dyfi*, Tregarth 26 G5
Maes Glas...............................26 F5
Maes Newydd*, Bryn y Gog.....26 G5
Maes y Garth 26 H4
Maglona Villas 26 F5
Maldwyn Place 26 F5
New Street...............................26 F5
Newtown Road 26 G5
Penrallt (4) 26 F5
Penrallt Court (5) 26 F5
Plas Drive 26 F5
Poplar Road*, Garsiwn 26 F5
Poplar Square 26 F5
Poplar Terrace 26 E5
Railway Terrace 26 F4
Rock Terrace*, Heol Powys 26 F5
Tan y Graig (6) 26 F5
Tanrallt Road 26 F5
Tanrallt Street 26 F5
Tregarth 26 F5
Tregarth Estate 26 G5
Trem yr Allt 26 F5
Trem yr Orsedd/Golf View 26 H5
Treowain.................................26 G5
Vale View 26 F4
Vane Hall Place 26 F5
Wesley Terrace*, Heol Penrallt .26 F5
White Horse Terrace*,
Heol Maengwyn 26 F5
Windsor Terrace*, Garsiwn 26 F5

MENAI BRIDGE
(PORTHAETHWY)

Aldwyn Crescent 15 C6
Alotan Crescent 15 C6
Belgian Promenade 15 C3
Bodowen Terrace 15 D3
Bro Dawel 15 B1
Bro Hyfryd 15 C2
Bro Ogwen...............................15 D5
Bron Fedw 15 D1
Bronallt*, Tan y Bonc 15 D3
Bryn Afon Street......................15 D3
Bryn Ogwen 15 D5
Cae Gweithdy 15 C1
Cae Nicholas..........................15 C1
Cartrefle 15 B2
Cil y Graig 15 C1
Cilmelyn 15 D5
Coed y Maes 15 D5
Coronation Road 15 D2
Dew Street 15 D2
Fairview 15 D2
Fforld Bronwydd.......................15 B5
Fforld Cadnant/Cadnant Road.15 D1
Fforld Caergybi/Holyhead Road15 A2
Fforld Cambria/Cambria Road.15 D3
Fforld Crwys............................15 C6
Fforld Cynan (Bangor) 15 C6
Fforld Cynan/St. Georges Road
(Menai Bridge) 15 D2
Fforld Gelli Morgan 15 A6
Fforld Gwyndy.........................15 D5
Fforld Menai 15 D5
Fforld Mona/Mona Road 15 C2
Fforld Penglio/Druid Road 15 D2
Fforld Penlan...........................15 A6
Fforld Pentraeth/Pentraeth Road
....15 B1
Fforld Telford/Telford Road.......15 D3
Fforld Ty'n y Clwt 15 C5/D5
Fforld Tysilio 15 C1
Fforld y Coleg/Askew Street 15 D2
Fforld y Ffair/Wood Street........15 D2
Fforld y Llyn 15 A6
Fforld y Parc 15 A6/B6
Four Crosses 15 B6
Fron Farm Estate 15 B1
Fron Heulog 15 B1
Gilfach Goch 15 C1
Gilfach Wen 15 C1
Glan Menai.............................15 C5
Goleu Fryn 15 B1
Gors Goch 15 B1
Gors Las 15 C1
Greenfield Terrace 15 D2
Gwel y Wyddfa 15 C1
Llys Ceiros 15 D5
Llys y Banol............................15 D6
Llys y Ceiros 15 D5
Llys y Dderwen 15 D6
Llys y Fedwr............................15 C5
Llys y Miaren 15 C6
Llys yr Afallen 15 D6
Llys yr Eithen 15 C6
Llys yr Onnen 15 C6
Lon Bulkeley 15 B1
Lon Cei Bont/Beach Road 15 C3
Lon Cilbedlam/Dale Street 15 C2
Lon Ganol................................15 B1
Lon Garth 12 B1
Lon Gernant 15 C2
Lon Isaf 15 C1
Lon Las/Mount Street..............15 C2

Lon Menai 15 B1
Lon Pen Nebo/Hill Street 15 C2
Lon Tyn y Caeau.........15 B2
Lon y Bryn 15 C1
Lon y Gamfa 15 C1
Lon y Waen 15 C1
Maes Mawr 15 D5
Maes Tyddyn 15 C1
Maes y Coed.............15 C2
Maes yr Hafod............15 B1
Menai Terrace............15 D2
Menai Ville Terrace......15 D2
Mountain View 15 D1
Pen Rallt...................15 B1
Penyfridd Cottages 15 D5
Penlon......................15 B1
Penrhos Road...........15 B6/D5
Rhos Uchaf...............15 D5
Rhosfryn..................15 B6
Rhoslan...................15 C6
Rhyd Menai..............15 C2
Stryd Fawr/High Street....15 C1
Stryd Ffynnon/Well Street.........15 D2
Stryd y Bont..............15 D2
Stryd y Capel/Chapel Street 15 D2
Stryd y Paced/Water Street 15 D2
Tan y Coed 15 D5
Tan y Bonc/New Street 15 D3
Tan y Coed 15 D5
Treborth Road 15 B6
Tregaean..................15 D5
Trem Eryri 15 C1
Ty Mawr 15 C1
Ty'n y Lon.................15 B6
Tyddyn Isaf 15 C1
Tyddyn Mostyn..........15 C1
Tyddyn To 15 C1
Y Glyn 15 C1
Y Rhos 15 D5
Y Sgwar/Uxbridge Square ...15 D2

MOELFRE
Aelwyd Isaf...............30 H5
Bryn Tirion 30 H4
Cilswnt 30 H4
Ffordd Eleth 30 G5
Ffordd Lligwy 30 G5
Ffordd Seiriol 30 G5
Ffordd Trigfa 30 G4
Maes Hyfryd.............30 G5
Morawelon 30 H5
Penrallt....................30 H5
Penrhos Terrace 30 H4
Porth yr Ynys 30 H4
Rhosffordd 30 G5
Swn yr Afon 30 G5
Tyn Coed 30 G5
Ystad Nant Bychan 30 G6

NEFYN &
MORFA NEFYN
Barcyttun 17 B2
Beach Bungalows 17 B5
Bro Gwylwyr 17 A6
Bro Terfyn 17 B1
Bryn Estate 17 B3
Bryn Glas 17 B6
Bryn Raur 17 C2
Buarth 17 C3
Cae Coch 17 B2
Cefn Morfa 17 C3
Cefn y Twr 17 B6
Ffordd Cae Rhyg 17 B6
Ffordd Dewi Sant 17 B4
Ffordd Gwenllian 17 B6

Ffordd Iorwerth..........17 B6
Glan y Pwll 17 B5
Glynllifion.................17 B6
Holborn Court............17 C6
Jones Terrace 17 B2
Llwyn Gwalch 17 B2
Lon Bodlondeb..........17 C3
Lon Bridin 17 A1
Lon Cyttun...............17 C2
Lon Fawr 17 D1
Lon Goch 17 C1
Lon Golf...................17 B1
Lon Groes 17 C3
Lon Isaf 17 B3
Lon Las 17 B1
Lon Pen Rhos 17 B1
Lon Penrallt 17 B3
Lon Pwll Clai 17 D1
Lon Pwll William 17 B3
Lon Tan y Bryn 17 B3
Lon Terfyn 17 B1
Lon Ty'n y Mur..........17 B2
Lon Tyn Pwll.............17 B4
Lon Uchaf.................17 C2
Lon y Castell 17 B5
Lon y Llwyn 17 B2
Lon y Traeth 17 B5
Lon yr Eglwys 17 C2
Maes Hyfryd.............17 C3
Nant y Felin*, Tai'r Lon............17 A6
Pen Orsedd 17 C3
Pen y Bryn...............17 B6
Penrhos....................17 B1
Rhodfa'r Garn 17 B6
Rhodfa'r Mor.............17 B5
Sea View Cottages.....17 B4
Stryd Fawr 17 B6
Stryd Llan 17 B6
Stryd Moreia.............17 B6
Stryd y Felin 17 B6
Stryd y Ffynnon 17 B6
Stryd y Mynach 17 B6
Stryd y Plas 17 B6
Tai'r Lon 17 A6
Tan y Llan*, Stryd y Ffynnon ...17 A6
Terfyna 17 B1
Ty'n y Mur................17 B2
Wern y Wylan 17 B1
Y Fron 17 B6
Y Groes 17 B6
Y Lon Gam 17 A5
Y Maes 17 B6

PENMAENMAWR
Alexandra Park 27 D5
Ardre Close 27 D5
Bangor Road............27 A6/B6
Beach Road 27 C5
Beech Grove 27 C6
Bell Cottages............27 C5
Bryn Difyr 27 C5
Bryn Helyg 27 D6
Brynmor Terrace 27 C5
Cae Cyd Road...........27 A5
Cae Glas Crescent 27 A5
Cae Gwynan 27 A4
Caederwen Road (1)...27 B6
Caerwaen Terrace (2)...27 B6
Cambrian Court.........27 D5
Celyn Street 27 C5
Cemlyn Close 27 D5
Cemlyn Park 27 D5
Chapel Street 27 B6
Chestnut Avenue*, Old Mill Rd.27 A4

Church Road.............27 D5
Clos Hen Felin (1) 27 A5
Clos y Nant/Brookside 27 D6
Constitution Hill 27 C5
Cowlyd Terrace (3)....27 B6
Crimlea Terrace 27 A6
Cwm Road 27 C6
Cwmlws Lane 27 A6
Cwmlws Terrace 27 A6
David Street 27 C6
Dyffryn Terrace (2) 27 A5
Edward Street 27 B6
Erasmus Street 27 C6
Erw Fair...................27 D6
Erw Las 27 D5
Esplanade 27 C6
Fernbrook Road 27 C6
Ffordd Conwy/Conwy Road 27 D5
Gardd Eyri*, Glan yr Afon Rd...27 A4
Ger y Glyn Road*, Old Mill Rd. .27 A4
Gilfach Road 27 C6
Glan y Coed Park*, Old Mill Rd.27 A4
Glan yr Afon Road......27 A4
Glyn Terrace*, Old Mill Road 27 A4
Glyn Uchaf*, Old Mill Road 27 A4
Gogarth Avenue 27 A4
Graiglwyd Close 27 D6
Graiglwyd Road...........27 C6/D5
Graiglwyd Terrace 27 C6
Granville Terrace 27 A6
Groesffordd 27 A4
Groesffordd Lane 27 D5
Gwel y Mor*, Ffordd Conwy 27 D5
Gwynan Park 27 A5
Gwynan Road 27 C6
Helyg Road 27 C6
Hen Ffordd Conwy (Dwygyfylchi)
...............27 A5
Hen Ffordd Conwy/Conwy Old Road
(Penmaenmawr) 27 D5
High Street 27 B6
Llanerch y Mor 27 C6
Llys Sambrook*, Beach Road...27 C5
Maenan Terrace (4) ...27 B6
Maes Alltwen 27 A5
Maes y Llan 27 A4
Marine Crescent 27 D5
Marine Terrace 27 D5
Merton Bungalows 27 D6
Merton Court 27 D6
Merton House 27 D6
Merton Park 27 D6
Mona Drive 27 A4
Mountain Lane 27 D6
New York Cottages 27 C6
Old Mill Road............27 A4
Onslow Terrace.........27 C6
Orchard, The 27 A5
Pant yr Afon 27 C6
Paradise Crescent 27 C5
Paradise Road 27 C5
Parc Moel Llys 27 D6
Promenade 27 B5
Rock Villa Road.........27 B6
School Lane 27 C6
Seiriol Road 27 C6
St. Davids Road 27 B6
St. Davids Terrace 27 B6
St. Johns Park 27 B6
St. Johns Park East (5) 27 B6
St. Johns Park West (6) 27 B6
Station Road East 27 C5
Station Road West 27 C5

Sychnant View/Golygfa Sychant
...............27 A5
Tan y Coed 27 C6
Tan'r Allt Cottages......27 A5
Treforris Road 27 A5
Upper Maenan 27 B6
Upper Water Street 27 C6
Voel Road 27 D6
Water Street 27 B6
Y Berllan 27 C6
Y Fron 27 D5
Ysguborwen Road......27 A4

PENRHYNDEUDRAETH
Adwyddu 27 C2
Bank Place (1) 27 C2
Bethel Terrace (Pen y Bryn) 27 C1
Bethel Terrace (Penlan)............27 D2
Blaenddol Terrace......27 C2
Bro Einon (2)............27 C2
Bryn Goleu 27 D1
Bryn Gwilym.............27 D1
Bryn Llewelyn............27 D1
Bryn Saethon 21 C2
Bryniau Hendre 27 C2
Cae Eithin................27 A3
Cae Garreg 27 C2
Caeffynnon Terrace ...27 C2
Caernarfon Road........27 A1
Cambrian View..........27 D2
Craig y Don 27 C2
Dol Fair....................27 A1
Fawrog Wen.............27 C1
Ffridd Uchaf 27 D1
Garth Cottages 27 A3
Griffin Terrace 27 D2
Hanlwen...................27 D1
Heol Eryri/Eryri Terrace 27 C2
Hyfrydle Terrace 27 C2
Llain yr Eglwys (3)......27 C2
Llys Ifor*, Bryn Saethon 27 C1
Llys y Garth 27 B2
Maes Hendre............27 B3
Maes Teg 27 C3
Maes y Garth............27 A3
Market Square 27 C2
Meusydd Llydain 27 C1
Min y Traeth 27 A3
Minffordd 27 A3
Nazareth Terrace 27 C1
Oberon Wood 27 A1
Osmond Terrace (Minffordd)....27 A3
Osmond Terrace (Penrhyndeudraeth)
Pant Heulog 27 D1
Park Terrace 27 D2
Pen y Bryn 27 C1
Penlan Isaf 27 C1
Penlan Uchaf 27 C1
Penllyn Terrace (4) ...27 C2
Pensarn...................27 C2
Pensarn Terrace (5)...27 C2
Pool Street 27 D2
Railway Terrace 27 D1
Rhiw Bethel 27 C2
Rock Terrace 27 C2
Stryd Fawr/High Street............27 C2
Stryd Gwynant 27 B1
Stryd Smith..............27 C2
Stryd y Castell 27 C2
Stryd yr Eglwys (Beddgelert)....27 B1
Stryd yr Eglwys (Penrhyndeudraeth)
...............27 C2
Stryd yr Ysgol/School Street 27 C2

Syenite Terrace 27 A3
Tai Bulkeley 27 B1
Tai Glaslyn 27 A1
Tai Meirion 27 B1
Tai Sygyn 27 B1
Trem Moelwyn 27 C2
Trem yr Wyddfa...........................27 B3
Tyddyn Llwyn Terrace*, Cae Eithin
....27 A3
Tyfry Terrace..............................27 C1
Tyn Ardd 27 D1
Tyn y Ffrwd Terrace 27 C2

PENYGROES
Allt Doli 31 A1
Bro Llwyndu 31 B1
Bryn Rhedyw 31 A3
Cae Catrin 31 A2
Cefn Faes Llyn 31 B3
Cross Street 31 A1
Felin Gerrig 31 B3
Ffordd Clynnog............................31 A2
Ffordd Haearn Bach/Tram Road
....31 A1
Ffordd Llwyndu............................31 B1
Ffordd Rhedyw 31 A3
Ffordd y Brenin/King Street 31 B2
Ffordd y Sir/County Road 31 B2
Ffordd yr Orsaf/Station Road 31 A2
Gareg Wen Isaf 31 A1
Glan Aber 31 B3
Hen Lon.....................................31 B1
Heol Buddug/Victoria Street 31 B2
Heol y Bedyddwyr 31 A1
Heol y Dwr/Water Street 31 B2
Llewyfen 31 A1
Llwyn Fuches 31 B1
Llwyn Onn Terrace 31 B1
Lon Ddwr 31 A3/B3
Lon Eglwys 31 A2
Lon Pitar 31 A1
Lon Ty Gwyn 31 A3
Maes Castell 31 B3
Maes Dulyn 31 B2
Maes y Mor/West End...................31 A1
Market Place/Maes y Farchnad 31 A2
Mor Awel 31 B1
Stryd Fawr..................................31 B1
Stryd y Capel..............................31 A1
Stryd yr Wyddfa/Snowdon Street
....31 A2
Trem yr Wyddfa...........................31 A2
Ty'n y Weirglodd..........................31 B2

PORTHMADOG
Amanda Terrace 16 G6
Avenue Road 16 H2
Awel y Grug 16 G3
Back Snowdon Street 16 H4
Bakers Lane 16 H3
Bank Place 16 H4
Bodawen Lodges 16 H2
Borth Road.................................16 G6
Britannia Place 16 H4
Britannia Terrace*, The Cob 16 H4
Bron Afon...................................16 G6
Bryn Hyfryd/Mount Pleasant 16 H4
Cambrian Terrace/Rhes Cambrian
....16 H3
Cei Greaves/Greaves Wharf......16 H4
Central Buildings*, Heol y Wyddfa
....16 H3
Cerrig yr Afon*, Stryd Welsa 16 H4
Chandlers Place 16 H3
Church Road...............................16 G6

Cob, The 16 H4
Corn Hill*, Stryd Lombard 16 H4
Craig Madog................................16 F1
Crescent, The 16 G4
Cwrt yr Harbwr*, Stryd Lombard
....16 H4
East Avenue 16 H3
Epworth Villas 16 H4
Eryri Terrace*, Stryd Glasfryn ...16 H3
Factory Place 16 G1
Ffordd Morfa Bychan....................16 E6
Ffordd Penamser/Penamser Road
....16 E2
Garden Place 16 H4
Garth Road 16 H5
Garth Terrace.............................16 H4
Glanmorfa Terrace 16 E1
Glyn Terrace 16 G6
Hebog View................................16 H3
Hen Gapel*, Stryd Glasfryn......16 H3
Heol Dulyn/Dublin Street 16 F1
Heol Newydd/New Street 16 H4
Heol y Madog/Madoc Street 16 H3
Heol y Parc 16 H4
Heol y Wyddfa/Snowdon Street 16 H4
Hill Street 16 H4
Hughendon Cottages 16 H3
Isgraig 16 G1
Ivy Terrace 16 G6
Llofft yr Yard*, Heol y Wyddfa..16 H3
Lon Dulyn/Dublin Lane 16 F1
Lon Smith/Smith Street 16 H4
Lon y Felin 16 H3
Madoc Street West 16 H3
Maes Gerddi 16 G2
Maes y Mor.................................16 F1
Marine Terrace 16 H5
Mersey Street 16 G6
Morfa Lodge Estate 16 G4
Osmond Lane 16 H4
Osmond Terrace 16 H4
Pen Cei 16 H5
Pen y Banc 16 G6
Pen y Cei/Cornhill 16 H4
Pensyflog 16 G2
Pilot Houses 16 G6
Ralph Street................................16 G6
Roche Terrace 16 H4
Sea View Terrace 16 G6
Sgwar Farchnad/Market Square
....16 G1
South Snowdon Wharf 16 H4
Stryd Dora/Dora Street 16 H4
Stryd Fawr/High Street (Porthmadog)
....16 H4
Stryd Fawr/High Street (Tremadog)
....16 H4
Stryd Glaslyn/Glaslyn Street 16 H3
Stryd Lombard/Lombard Street.16 H4
Stryd Welsa/Chapel Street........16 H3
Stryd y Llan/Church Street 16 H3
Stryd yr Eglwys/Church Street ..16 H4
Surveyors Place*, The Cob......16 H4
Tan y Foel 16 H4
Terrace Road 16 H4
Trem y Graig /Railway Place 16 G3
Tros y Bont/Britannia Terrace 16 H4
Tuhwnt i'r Bwlch 16 G4
Wharf House*, Stryd Lombard ..16 H4
Y Craig*/Sunnyside 16 F1
Y Cyt 16 H3
Y Ddol/Meadow Drive 16 G2

PWLLHELI
Ala Isaf 18 F3
Ala Uchaf/Upper Ala Road 18 F3
Allt Salem/Salem Terrace 18 E2/F3
Bay View Terrace (1)....................18 F4
Bro Cymerau 18 H2
Bro Cynan 18 F4
Bro Heli 18 G4
Bro Llwyn...................................18 G3
Bron y Dre 18 H4
Brookfield Terrace 18 G3
Cae Dafis*, Ffordd Caerdydd Uchaf
....18 G3
Cefn Traeth 18 F4
Cesail y Bryn 18 F3
Clark Terrace 18 F3
Court Place 18 F4
Erwenni 18 G1/G2
Ffordd Caerdydd Isaf/
    Lower Cardiff Road 18 G3
Ffordd Caerdydd Uchaf/
    Upper Cardiff Road 18 G3
Ffordd Glancymerau 18 H2
Ffordd Mela................................18 H3
Ffordd Talcymerau/Talcymerau Road
....18 H2
Ffordd y Cob/Embankment Road
....18 G4
Ffordd y Faenor/Manor Avenue 18 H4
Ffordd y Maer 18 F4
Fron Oleu...................................18 F5
Gaol Street/Stryd Moch 18 F3
Glan Rhyd 18 G3
Glanafon/Riverside 18 G1
Glanrafon Terrace*, Y Traeth ...18 F4
Heol Hamdden/Recreation Road
....18 H3
Innes Estate 18 F4
Kingshead Street/Stryd Kingshead
....18 F4
Llawr Gors/Baptist Square 18 F4
Lleniau Uchaf/Church Place 18 G3
Lleniau/St. Peters Terrace (2) ...18 F4
Llys Ceredigion/Cardigan Court 18 H3
Llys Madryn 18 F4
Llys Parker 18 F4
Llys Penlan (3) 18 F3
Lon Abererch/Abererch Road....18 F4
Lon Ceredigion 18 H2
Lon Dywod/New Street 18 F4
Lon Goed 18 G3
Lon Golff/Golf Road 18 H2
Lon Nant Stigallt 18 E5
Lon Pensarn 18 F1
Maes y Llyn Terrace*, Penrhydlyniog
....18 G3
Maes yr Orsaf/Station Square (4)
....18 F3
Marinaland 18 H5
Market Square 18 F4
Min y Mor 18 G3
Min y Traeth 18 H3
Mitre Terrace (9).........................18 F3
Morfa'r Garreg............................18 H5
New Row 18 G3
New Terrace (5) 18 F4
North Terrace 18 F4
North Villa 18 F4
Pen Cob 18 F4
Pencei 18 F4
Penlon Caernarfon/Caernarfon Road
....18 F4

Penlon Llyn/ Lleyn Street 18 F2
Penmount Square 18 F4
Penrhydlyniog..............................18 G3
Pentre Banc................................18 F3
Pentre Poeth/North Street 18 F4
Plas Tanrallt/Tanrallt Terrace 18 F4
Plas y Don..................................18 H4
Rhes Dolafon 18 G3
Rhes Tarsis/Tarsis Place 18 G3
Rhes Ty Melin.............................18 G3
Rhodfa Marion y Mor 18 H2
Rhodfa Victoria/Victoria Parade 18 H4
Salem Crescent 18 F3
Salem Terrace 18 F3
St. Tydwals Terrace (6) 18 F4
Stryd Churton/Churton Street ...18 H4
Stryd Fawr/High Street 18 F4
Stryd Iorworth/Edward Street....18 G4
Stryd Llygod/Mitre Place (7) 18 F4
Stryd Penlan/Penlan Street 18 F4
Stryd Potts/Potts Street 18 H4
Stryd y Llan/Church Street (8)...18 F3
Tai Cochion 18 E3
Tai Newydd 18 E3
Tan y Barty*, Penlon Caernarfon
....18 F4
Tan y Marian 18 H4
Tanrallt 18 G4
Troedyrallt 18 F3
Ty Melyn Terrace*, Penrhydlyniog
....18 G3
West End Court...........................18 H3
West End Parade 18 H2
White Horse................................18 F5
Y Ddol 18 H3
Y Maes 18 F3
Y Prom/Promenade, The 18 H3
Y Traeth/Sand Street 18 F4
Yr Ala/Ala Road 18 G2
Yr Eifl 18 H3
Ysgol Pennlleniau........................18 F3

RHOSNEIGR
Adams Close 31 D2
Awel y Mor 31 C2
Beach Road/Ffordd y Traeth.....31 C2
Beech Terrace 31 C2
Bodelwyn 31 D3
Bryn Colyn 31 D1
Cae Cloc 31 C2
Chelford Close 31 D3
Crigyll Road 31 D1
Ffordd Llechi 31 C2
Ffordd Maelog 31 C2
Ffordd y Wylan............................31 C2
Ger y Mor/Whispering Sands....31 C3
Glan y Mor Road/Ffordd Glan y Mor
....31 C2
Harrison Drive 31 C2
High Street/Stryd Fawr.................31 C3
Lakeside 31 D3
Lon Traeth Llydan 31 C3
Marine Terrace............................31 C2
Overstand Avenue 31 D2
Post Office Lane 31 C3
Rhosfaelog*, Ffordd Maelog 31 D2
Sandy Lane 31 D2
Sisal y Mor 31 D2
Station Road/ Ffordd Rheilffordd
....31 C2
Trem y Mor 31 D1
Ty Warden 31 D3
Victoria Court 31 C3
Warren Road...............................31 D1

TALYSARN

Bluebell Cottages 31 B4
Bro Silyn 31 B6
Bryn Madoc 31 A4
Bryn Meurig 31 A5
Bryncelyn Road 31 A5
Brynderwen 31 B5
Brynhyfryd 31 B5
Cloddfa Glai 31 B5
Coedmadog Road 31 A5
Ffordd Cavour/Cavour Road ... 31 B5
Ffordd Rhiwlas/Rhiwlas Road ... 31 A5
Hen Lon 31 A5
Hyfrydle Terrace 31 A5
Isfryn 31 B5
Lon yr Eglwys 31 A5
Maes Llyfnwy 31 A5
Pen y Fron 31 A5
Penduffryn/Sea View Terrace ... 31 A5
Penllwyn Street 31 B5
Petris Square 31 B6
Station Road 31 A6
Tal y Llyn 31 B5
Tanrallt 31 B6
Ty'n y Weirglodd 31 B6
Weirglodd Newydd 31 A5

TRAWSFYNYDD

Arduddwy Terrace 31 D4
Bro Islyn 31 C4
Bro Prysor 31 C5
Bryn Celyn 31 C5
Bryn Hyfryd 31 C5
Brynglas 31 C5
Cae Madog 31 C5
Cefn Gwyn 31 C5
Chapel Street 31 C5
Church Square 31 C5
Fron Galed 31 C4
Fronwynion Street 31 C5
Fronwynion Terrace 31 C5
Gwyndy 31 C5
Hyfrydle Road 31 A5
Maengwyn Street 31 C5
Maes Gwyndy 31 C5
Pant y Celyn 31 C4
Pen y Garreg 31 C4
Penlan 31 C4
Station Road 31 C5/D4
Tan Llan 31 C5
Ty Llwyd Terrace 31 D4
Ty'n y Pistyll 31 C4
Tyr Llan 31 C5
Ystryd Faen/Stone Street 31 C5

TYWYN

Aberdyfi Road 28 H3
Ar y Don 28 F3
Arfon Terrace*, Station Road ... 28 F2
Assembly Terrace 28 G2
Athelstan Road 28 F2
Awel Dyfi 28 F3
...wel y Mor 28 F2
...ton Close 28 F3
...shton Walk 28 F3
...lakiston Court*, Marine Parade
.... 28 E2
Brook Street 28 G2
Bryn Awel Square 28 G2
Bryn Heulog 28 G2
Bryn Mair 28 F2
Bryn y Paderau 28 G2
Brynglas Walk 28 F2
Brynhyfryd Road 28 G3
Cader Walk 28 F3

Cadfan Villas 28 G1
Cae Rhianfa 28 F3
Cambrian Road 28 F2
Cambrian Square 28 G2
Cambrian Terrace 28 F3
Cantref 28 F2
Church Street 28 G2
Cleveland Avenue 28 G2
College Green 28 G2
Corbett Avenue 28 E3
Corbett Close 28 F3
Corbett Square 28 G2
Ddol Hendre 28 F3
Dolgoch Walk 28 F2
Dysnni Walk 28 F3
Faenol Avenue 28 G2
Faenol Isaf 28 F3
Ffordd Alban 28 G2
Ffordd Cadfan 28 G2
Ffordd Dyfed 28 F3
Ffordd Dyfrig 28 G2
Ffordd Ffynnon/Well Lane 28 G2
Ffordd Gwynedd 28 F3
Ffordd Neifion/Neptune Road
.... 28 F3/G2
Frankwell Close 28 G2
Frankwell Street 28 G2
Gerllan 28 H2
Glan Wendon 28 E1
Glan y Mor Arcade*, Marine Parade
.... 28 E2
Glan y Mor Maisonettes*,
        Marine Parade 28 E2
Gwalia Road 28 G1
Hendre Terrace 28 G1
High Street 28 F2
Idris Villas 28 F2
Llewelyn Close 28 F2
Llewelyn Road 28 F2
Llewelyn Walk 28 F2
Llys Cadfan 28 G2
Llys Meurig 28 F2
Maengwyn Street 28 G2
Maes Idris 28 E1
Maes Newydd 28 F2
Maes yr Heli 28 E2
Maethlon Close 28 F3
Marconi Bungalows 28 H3
Marine Parade 28 E2
Morfa Cadfan/St. Cadfans Wells Road
.... 28 F2
Morfa Crescent 28 E1
National Street 28 G2
Neptune Villas*, Ffordd Neifion .28 F3
Pen Morfa 28 F1
Pendre Walk 28 E2
Pentre Gardens*, Brook Street .28 G2
Pier Road 28 E2
Pier View 28 E2
Plas Edwards 28 E2
Pretoria Building*, High Street... 28 F2
Promenade North 28 E1
Red Lion Street 28 G2
Rhiwfa 28 F3
Sandilands Cottages 28 F2
Sandilands Road 28 E1
Sherwood House 28 F3
Station Road 28 F2
Talyllyn Drive 28 F2
Tegid Villas*, Ffordd Neifion 28 G2
Ty Arfon 28 F2
Ty Ceredig*, Llewelyn Road 28 F2
Ty Helyg*, Ffordd Neifion 28 F3

Ty Maldwyn*, Llewelyn Road 28 F2
Ty Meirion*, Llewelyn Road 28 F2
Warwick Place 28 F3
Ynys Enlli 28 F3
Yr Ynys 28 G3

Y FELINHELI

Aber Cottages*, Aber Pwll 19 D1
Aber Pwll 19 D1
Bangor Street/Stryd Bangor 19 B3
Beach Road/Glan y Mor 19 A3
Bethel Road 19 B6
Bro Rhos 19 C6
Bryn y Mor 19 A3
Bryn y Waen 19 C2
Brynffynnon Road 19 A3
Bush Road/Lon Llwyn 19 B3
Cae Glas 19 D1
Caernarfon Road/ Ffordd Caernarfon
.... 19 A3
Cefn Bach 19 C6
Cremlyn 19 B6
Cwrt Menai/Menai Court 19 B3
Dock Cottages 19 C1
Elim Cottages 19 D1
Ffordd Garnedd 19 B1
Ffordd Glyder 19 B1
Ffordd Helen 19 A4
Ffordd Heulyn 19 B4
Ffordd Siabod 19 B1
Fron Helyg 19 C6
Gwylan Uchaf 19 B2
Helen Terrace 19 A3
Hen Gei Llechi 19 B3
Incline Cottages 19 C1
Incline, The 19 C1
Llys y Gwynt*, Bangor Street ... 19 B2
Marina Estate 19 B1
Min y Don/Jubilee Terrace 19 B2
New Street 19 C6
Parc y Wern 19 C6
Pen Ceunant/Snowdon Street... 19 B2
Pendorlan/Port Terrace 19 B1
Penrallt Cottages 19 B1
Penscoins Cottages 19 D1
Penybryn 19 B2
Plas Dinorwic 19 B1
Port Terrace*, Hen Gei Llechi ... 19 B2
Post Office Row 19 C6
Quay, The 19 A3
Raber Uchaf 19 D1
Rhos 19 C6
Rhos Lan 19 B1
Rowan Cottages 19 A6
Siloh 19 B3
Siloh Cottages 19 D1
Stad Eryri 19 B6
Stryd Menai/Menai Street 19 B3
Tafarn y Grisiau 19 A3
Tafarn y Grisiau Road 19 A2
Tai Gwelfor/Sea View Terrace ..19 A3
Tai Terfyn/Terfyn Terrace 19 B2
Tai'r Felin/Felinheli Terrace 19 B2
Tan y Buarth 19 A6
Tan y Cae 19 B6
Tan y Ffordd 19 B6
Tan y Ffynnon 19 B6
Tan y Maes 19 A4
Trem y Foel 19 B2
Ty Newydd 19 A1
Tyn Lon 19 D1
Uwch Menai/Augustus Place ... 19 B2
Y Ddol 19 A6
Y Wern 19 A3/A4

INDUSTRIAL ESTATES

Amlwch Industrial Estate 9 B4
Bala Industrial Estate 21 C2
Bodedern Rural Workshops 8 H2
Bryn Cefni Industrial Park (Llangefni)
.... 25 C6
Caernarfon Road Retail Park (Bangor)
.... 5 B6
Cibyn Industrial Estate (Caernarfon)
.... 12 H3
Coed-y-Parc Industrial Estate
        (Bethesda) 10 E4
Cookes Units (Penrhyndeudraeth)
.... 27 D2
Fishermans Workshops (Holyhead)
.... 8 E3
Four Crosses Commercial Area
        (Menai Bridge) 15 B1
Glanydon Industrial Estate (Pwllheli)
.... 18 F5
Glanypwll Workshops
        (Blaenau Ffestiniog) 11 B2
Gwalia Industrial Estate (Tywyn)
.... 28 G1
Holland Park Industrial Estate
        (Holyhead) 8 E5
Kingsland Enterprise Park (Holyhead)
.... 7 D4
Llandegai Industrial Estate (Bangor)
.... 6 F5
Llanfair Pwllgwyngyll. Workshops
.... 25 B2
Llanfairfechan Industrial Estate .24 F6
Llangefni Industrial Estate 25 C6
Llwyn Gell Industrial Estate
        (Blaenau Ffestiniog) 11 B1
Machynlleth Industrial Estate ... 26 G5
Marian Mawr Industrial Estate
        (Dolgellau) 23 B2
Menai Business Park (Menai Bridge)
.... 15 A6
Morawelon Industrial Estate
        (Holyhead) 8 E3
Parc Busnes Eryri (Penrhyndeudraeth)
.... 27 B3
Penamser Industrial Estate
        (Porthmadog) 16 G3
Pendre Industrial Estate (Tywyn)
.... 28 H1
Penrhos Industrial Estate (Holyhead)
.... 8 F5
Penygroes Industrial Estate 31 A2
Penyorsedd Industrial Estate
        (Llangefni) 25 C5
Pont Dreiniog Industrial Estate
        (Bethesda) 10 G3
Railway Yard Industrial Estate
        (Y Felinheli) 19 B2
St. Davids Retail Park (Bangor) ..5 A6
Tan y Castell Industrial Estate
        (Harlech) 14 G2

Order Form

All Streetezee titles are available from bookshops, motorway service stations, newsagents supermarkets and petrol stations, or by mail order direct from the publisher.
Simply complete the order form (it may be photocopied) and post it to:

Streetezee Town Plans Ltd., Market Street, Blaenavon NP4 9ET

If you would like to place your order direct by phone, Tel/Fax 01495 792224

Title	ISBN	Price		
Bridgend	1 902884-39-6	£3.50		
Cardiff	1 902884-33-7	£3.50		
Cardiff - Mega Street Atlas	1 902884-22-1	£4.75		
Cheltenham & The Cotswolds	1 902884-28-0	£3.95		
Chester & Wrexham	1 902884-30-2	£3.25		
Flintshire	1 902884-49-3	£3.50		
Herefordshire & Monmouth	1 902884-26-4	£2.95		
Kidderminster, Redditch & Bromsgrove	1-902884-38-8	£2.75		
Llandudno	1 902884-48-2	£3.50		
Llanelli	1 902884-27-2	£2.75		
Mid Wales	1 902884-32-9	£3.50		
Neath & The Neath Valley	1 902884-46-9	£3.25		
Newport	1 902884-21-3	£3.50		
North West Wales	1 902884-45-0	£4.50		
Port Talbot	1 902884-29-9	£2.75		
Shrewsbury & W.Shropshire	1 902884-37-X	£2.75		
Stafford	1 902884-36-1	£2.50		
Swansea & The Tawe Valley	1 902884-23-X	£3.50		
Swansea City (sheet map)	1 902884-41-8	£3.95		
Telford & E. Shropshire	1 902884-44-2	£3.50		
Valleys - East	1 902884-34-5	£3.75		
Valleys - West	1 902884-35-3	£3.75		
Warwick, Leamington Spa & Stratford-upon-Avon	1-902884-40-X	£2.95		
West Wales	1 902884-31-0	£3.75		
Worcester & Great Malvern	1 902884-42-6	£2.95		
Wrexham & Chester	1 902884-30-2	£3.25		

Name..

Street..

Town..

County.................................

Post Code..........................

I enclose a cheque/postal order for the value of..........
made payable to
Streetezee Town Plans Ltd.

Signature.............................

Date ....